35
ANOS

Obras do autor publicadas pela Companhia das Letras

Borboletas da alma
Carcereiros
Correr
De braços para o alto
Estação Carandiru
O médico doente
Nas águas do rio Negro
Nas ruas do Brás
Palavra de médico
Por um fio
Primeiros socorros
Prisioneiras
A saúde dos planos de saúde
A teoria das janelas quebradas

DRAUZIO VARELLA

O exercício da incerteza
Memórias

COMPANHIA DAS LETRAS

Copyright © 2022 by Drauzio Varella

Grafia atualizada segundo o Acordo Ortográfico da Língua Portuguesa de 1990, que entrou em vigor no Brasil em 2009.

Capa
Alceu Chiesorin Nunes

Preparação
Ciça Caropreso

Revisão
Ana Maria Barbosa
Clara Diament
Angela das Neves

Dados Internacionais de Catalogação na Publicação (CIP)
(Câmara Brasileira do Livro, SP, Brasil)

Varella, Drauzio
   O exercício da incerteza: Memórias / Drauzio Varella. — 1ª ed. — São Paulo : Companhia das Letras, 2022.

   ISBN 978-65-5921-200-2

   1. Médico - Brasil - Autobiografia 2. Varella, Drauzio 3. Memórias autobiográficas I. Título.

22-104655
CDD-610.92
NLM-WZ 100

Índice para catálogo sistemático:
1. Médicos : Memórias autobiográficas 610.92

Maria Alice Ferreira - Bibliotecária - CRB-8/7964

[2022]
Todos os direitos desta edição reservados à
EDITORA SCHWARCZ S.A.
Rua Bandeira Paulista, 702, cj. 32
04532-002 — São Paulo — SP
Telefone: (11) 3707-3500
www.companhiadasletras.com.br
www.blogdacompanhia.com.br
facebook.com/companhiadasletras
instagram.com/companhiadasletras
twitter.com/cialetras

Sumário

O terno que não vesti, 7
As origens, 9
O menino, 14
O menino doente, 19
A avó espanhola, 26
O colegial ateu, 30
Professor de cursinho, 35
A maternidade, 41
A culpa, 46
Sanitarista frustrado, 51
Pobreza, desnutrição, endemias, 57
Os anos de chumbo, 63
Boanerges, 69
A convocação, 73
Seu Osvaldo, 77
A oncologia, 82
A quimioterapia, 89
Projeto Genoma, 94
Prepotência, 97

O SUS, 105
Estratégia Saúde da Família, 110
Os convênios, 113
Na União Soviética, 119
Medicina socialista, 124
A bomba atômica, 128
Instituto Karolinska, 134
Compulsões, 141
O cigarro, 146
No olho do furacão, 152
A enfermaria, 156
Na rádio, 161
Na cadeia, 165
O mundo do crime, 172
A biotecnologia, 178
Entre cientistas, 184
Projeto Rio Negro, 190
Os antirretrovirais, 196
A ovelha Dolly e o coração de porco, 205
Crescei e multiplicai-vos, 212
O médico doente, 216
As enfermeiras, 222
Medicina no século XXI, 227
Doentes saudáveis, 234
Os males da alma, 241
A internet, 246
As mulheres, 252
Coisa de mulher, 258
A dor alheia, 263
A convivência com a morte, 270
A ciência e a arte, 274
O envelhecimento do médico, 279

Epílogo, 287

O terno que não vesti

Acontecimentos carregados de emoção ficam impregnados na memória.

"Você passou no vestibular", disse meu pai, que me esperava de pijama àquela hora da noite, no topo da escada do sobrado em que morávamos na Vila Mariana, bairro de classe média de São Paulo.

Sentei na cama de casal, ao lado dele e de minha madrasta, intimidade que nunca tive, invadido por um misto de alegria e felicidade plena, sensação tão intensa quanto a dos tempos de criança.

"Você passou em segundo lugar na USP. Não vai ficar chateado por não ser o primeiro", ela acrescentou, como se tivesse notado a sombra fugidia que me turvara o espírito.

Não sei quantos minutos fiquei quase sem falar, incapaz de prestar atenção às palavras dela, que preenchia com planos para o futuro médico os espaços de silêncio que meu pai e eu deixávamos.

Lamentei não estar a sós com ele, talvez para lembrarmos do que tínhamos vivido juntos até ali, para continuarmos quietos ou para que eu pudesse abraçá-lo e quebrar o embaraço que a aproximação física nos causava. Ou para simplesmente lhe dizer muito obrigado por ter sido ao mesmo tempo pai e mãe para mim, minha irmã mais velha e meu irmão mais novo.

Meses antes, ele ganhara de presente um corte de tropical inglês cinza-azulado, com reflexos de fios dourados aqui e ali, delicadíssimos, só visíveis quando os olhos chegavam perto deles. Era o tecido mais bonito que eu já tinha visto. Numa época em que os adolescentes usavam trajes formais em ocasiões festivas, tive até um sonho no qual dançava com a menina mais linda do baile, que me dizia ao ouvido: "Que terno lindo, com que naturalidade você usa colete...".

Jamais ousaria pedi-lo a meu pai, cioso das roupas que vestia, a ponto de aos domingos passar a ferro as calças e os paletós com os quais iria trabalhar durante a semana. Achei, no entanto, que se eu entrasse na faculdade e fizesse o pedido no dia da aprovação no vestibular, ele não recusaria.

Já estava a caminho do quarto que dividia com meu irmão quando lembrei da chantagem emocional premeditada. Com o tom de voz mais suplicante da Vila Mariana, perguntei se ele não me daria o presente tão desejado. Ele respondeu que não.

As origens

Meu pai se chamava José, mas na família todos o chamavam de Pepe. Era um homem de poucas dúvidas. Nasceu na Galícia, no norte da Espanha, e veio para o Brasil com dois anos, na companhia dos pais e de dois irmãos, história nebulosa que só vim a conhecer quando já estava no final do curso médico.

Antônio, meu avô paterno, vivia com a família no campo. O mais velho de cinco irmãos, cabia a ele a função de pastorear as ovelhas enquanto o pai cuidava da lavoura.

Quando seu pai faleceu, em 1893, minha bisavó não encontrou alternativa senão juntar as economias e mandar o primogênito para o Brasil, com a obrigação de sustentar os que ficavam. Como menores de idade não podiam viajar desacompanhados, ela pediu a um vizinho que imigrava com a família que se responsabilizasse pelo menino até chegarem ao porto de Santos. Desembarcado, ele saberia cuidar da própria vida, afinal já tinha doze anos.

Assim aconteceu. Com essa idade, vô Antônio se viu sozinho, analfabeto, num país estranho, com a missão de sustentar a mãe e quatro irmãos. Andou pelo cais do porto de Santos até parar numa aglomeração em que um capataz arregimentava trabalhadores europeus para uma fazenda de café na região de Ribeirão Preto, que se ressentia do fim da escravidão.

Na família paterna, quando um homem tinha um dia muito atribulado, diziam: "Fulano 'trabalhou feito um galego'", atributo exclusivamente masculino que deve ter norteado a conduta de meu avô na fazenda de café, porque depois de alguns anos ele conseguiu vir para São Paulo com recursos suficientes para comprar uma carroça de transporte.

Depois dessa, adquiriu outras, que empregaram galegos que vinham por iniciativa própria ou a convite dele. Por necessidade empresarial, aprendeu a ler e escrever com um conterrâneo que lhe cobrou um garrafão de vinho pelos ensinamentos.

A companhia de transportes prosperou, fazia entregas para lojas e fábricas da São Paulo que se industrializava. Vô Antônio se casou com minha avó Aurélia, espanhola como ele, tiveram o primeiro filho e construíram seis casas para aluguel no Brás. Devem ter vivido com conforto, uma vez que em 1914, quando o médico lhe recomendou uma estação de águas para combater os mal-estares digestivos que o afligiam, decidiram fazê-lo na Galícia, privilégio de poucos no início do século xx.

Enquanto estavam na Espanha, eclodiu a Primeira Guerra Mundial, o que os impossibilitou de regressar ao Brasil por três anos, período em que tiveram mais dois filhos.

Quando meu pai nasceu, meu avô enviou uma procuração para que um primo o registrasse como brasileiro; ele não queria filhos espanhóis. Dizia que no Brasil era um homem respeitado, tratado por todos como "sr. Varella", enquanto na terra natal não passara de um pastor de ovelhas.

Assim que o conflito permitiu, voltaram para São Paulo, onde ele veio a falecer de câncer de estômago com 42 anos, deixando mulher e três crianças, com dez, cinco e quatro anos, que minha avó pôde criar com os recursos das casas alugadas.

Só com 22 anos descobri que eu tinha um pai nascido na Espanha, e ainda assim por um descuido de tio Odilo, o irmão mais velho dele.

O segredo fora mantido por tanto tempo porque, no ano em que nasci, meu pai achou insuficiente nos manter com o salário que recebia como contador no grupo Jafet — que, entre outras empresas, tinha uma tecelagem e uma mineradora — e resolveu arrumar mais um emprego.

Passou, então, a trabalhar também à noite, das sete à meia-noite, como escriturário no antigo DI, o Departamento de Investigações, repartição pública na qual chefiou, até se aposentar, a Segunda Seção, responsável pela identificação dos paulistas e pelos arquivos daqueles com passagem pela polícia. Como na época as leis proibiam estrangeiros de ocupar cargos públicos, embora meu pai fosse legalmente registrado como brasileiro ele nunca revelou o local em que nascera, em conluio com a mãe e os irmãos.

Lydia, minha mãe, era brasileira, filha de um casal de portugueses que se conheceu no Brás, o mesmo bairro da zona leste em que meus avós espanhóis se casaram e viveram. Não por acaso os imigrantes europeus que fugiam das guerras e da fome se concentravam nessa parte da cidade: lá estava sediada a Hospedaria dos Imigrantes, centro de triagem dos estrangeiros que chegavam à procura de trabalho nas fábricas da vizinhança.

Meus avós maternos vieram do norte de Portugal. Ele, que também se chamava Antônio, contava que a decisão de emigrar fora tomada pelo pai, professor na aldeia de Trás-os-Montes em que moravam: "Quando fiz quinze anos, meu pai reuniu minha mãe, meu irmão mais novo e eu para contar que iríamos para o Brasil, um lugar que para mim era selvagem, com índios, onças e cobras a andar pelas ruas".

A motivação era o medo de que os filhos fossem convocados para servir o Exército colonial português: "Não criamos nossos meninos para morrer de febre na África".

Alfabetizado pelo pai, a escrita de meu avô chamava a atenção pelo bordado da letra que abria os parágrafos, a regularidade com que molhava a pena no tinteiro, a habilidade de escrever a palavra inteira sem afastá-la do papel e a periodicidade com que secava a tinta com o mata-borrão, ajustado num suporte de madeira convexa que rolava sobre as linhas úmidas. Lembro que ele anotava as contas num caderno de contabilidade de capa preta que depois guardava numa gaveta da escrivaninha cheia de escaninhos, da qual os netos eram proibidos de se aproximar.

Minha avó Ana, nascida na região do Porto, veio a conhecê--lo no Brás. Tiveram dois casais de filhos, minha mãe a segunda a nascer. Como muitas portuguesas naquele tempo, vó Ana era analfabeta. No entanto, gostava das poesias de Bocage e dos romances de Eça de Queiroz e Camilo Castelo Branco, que meu avô lia para ela nas tardes da minha infância, sentado numa cadeira de balanço, enquanto ela bordava, fazia tricô e cerzia meias com um ovo de madeira.

Aqueles que os conheceram diziam que eram muito unidos. Nas raras ocasiões em que se desentendiam, ela fazia valer suas origens: "Sou do Porto. Vós sois de Trás-os-Montes, aquele fim de mundo".

Meus pais tinham 21 anos quando se casaram. Foram morar numa casa de meus avós maternos, na rua Rio Bonito, junto ao largo na frente da igreja de Santo Antônio, paróquia em que os dois e todos os meus tios e tias foram batizados, fizeram a primeira comunhão e se casaram. Nessa mesma igreja, meus irmãos, meus primos e eu recebemos o batismo.

Estavam casados havia dois anos quando tiveram o primeiro filho. Meu pai queria que a criança viesse à luz numa maternidade, mas vó Ana argumentou que parto não era doença para ser tratada em hospital, que as mulheres sempre deram à luz em casa, que ela mesma tivera quatro filhos com parteiras. Inexperiente, meu pai se deixou convencer pela sogra.

Em apresentação pélvica, o bebê só foi expulso depois de longo e sofrido trabalho de parto. Morreu três dias mais tarde.

Em casa, ninguém comentava essa tragédia familiar, tão frequente nos bairros operários da época. Apenas soubemos que o bebê fora batizado às pressas com o nome de Antônio Sérgio.

Só quando estava na faculdade, criei coragem para perguntar a meu pai o que havia ocorrido. Ele foi lacônico: "Sua mãe sofreu muito. Fui contra o parto em casa, mas eu era muito jovem. Devia ter imposto minha vontade".

Terminou de falar, olhou para o chão e nunca mais tocou no assunto.

O menino

Nos cinco anos seguintes meus pais tiveram mais três filhos, nascidos numa maternidade na região da avenida Paulista. A diferença entre mim e a irmã mais velha foi de três anos; dois anos me separaram do irmão mais novo.

O último parto abalou a saúde de minha mãe. Queixava-se de fraqueza, indisposição e de um cansaço que se acentuava no decorrer do dia, quadro interpretado como resultante de uma possível anemia, comum no puerpério.

Com o passar dos meses, a perda de força física se agravou. Tarefas corriqueiras como subir escada ou pendurar roupas no varal passaram a exigir esforço desproporcional. Os médicos consultados e os tratamentos prescritos foram de nenhuma valia.

Com o marido que saía de casa às oito da manhã, voltava para o almoço e regressava do trabalho depois da meia-noite, a tarefa de cuidar dos afazeres domésticos, de um recém-nascido e de mais duas crianças, uma de cinco, outra de dois anos, ficou insuportável.

A solução encontrada foi deixar meu irmão mais novo aos

cuidados de meus avós maternos, enquanto nos mudaríamos para uma casa vizinha à de minha avó paterna, para que ela ajudasse minha mãe a cuidar das crianças.

De propriedade de vó Aurélia, a casa para onde nos mudamos era a típica habitação de cômodos em que viviam os imigrantes. A porta da rua se abria para um corredor comprido que dava acesso aos quartos onde as famílias moravam. Depois deles, um banheiro comunitário com um cheiro inesquecível de bolor, um tanque e as cozinhas enfileiradas. Em frente delas os varais, o quarador de zinco para estender as roupas ao sol e, no fundo do quintal, o galinheiro.

Enquanto em casas como essa chegavam a viver seis ou sete famílias, a nossa tinha apenas três quartos. Na frente, moravam seu Chico, espanhol, d. Maria, portuguesa, e um casal de filhos. No quarto do meio viviam tio Constantino — na verdade primo de meu pai —, tia Leonor e o filho deles, Flávio, com quem convivo até hoje. O nosso era o terceiro quarto, que desfrutava do conforto de uma pequena sala de jantar.

Morava com minha avó paterna o irmão mais novo de meu pai. Primeiro da família a chegar à universidade, tio Amador se formou médico na década de 1940. Graças a ele, minha mãe foi examinada por um assistente da cadeira de neurologia da faculdade, que fez o diagnóstico de uma doença autoimune: miastenia grave — o oitavo caso identificado em São Paulo até então.

Na miastenia, o impulso nervoso responsável pela contração muscular encontra dificuldade para ser transmitido através da placa motora existente entre as terminações dos nervos e as fibras musculares. Sem tratamento, há um enfraquecimento progressivo de todos os músculos do corpo, inclusive daqueles envolvidos em funções essenciais como respiração e deglutição.

A única medicação eficaz para a doença era a prostigmina, droga injetável fabricada na Europa. Em plena Segunda Guerra

Mundial, as ampolas precisavam ser importadas da Argentina, país neutro no conflito.

Lembro de minha mãe ainda capaz de ir a pé até a casa de tio Odilo, situada a dez quarteirões da nossa, lembro dela subindo as escadas do sobrado de meus avós maternos para ir ver meu irmão mais novo, esforço que a obrigava a ficar sentada, ofegante, com o menino no colo. Tenho memórias vivas dos banhos que me dava numa bacia com água da chaleira, de sua fisionomia, do olhar doce, de frases ditas por ela e de cenas domésticas, arrumando gavetas, distraída com um bordado ou conversando e rindo com o marido e os filhos.

O resultado inicial com a prostigmina foi muito bom, bastava uma injeção por dia. Contudo, com o passar dos meses a doença se tornou resistente. Ela não conseguia mais sair de casa, passava os dias sentada na sala em companhia da mãe, da irmã, da avó Aurélia, da tia Leonor e de amigas da infância, em um revezamento contínuo para não deixá-la sozinha por causa do risco de engasgar e das crises de falta de ar, só aliviadas com outra dose de prostigmina.

Como qualquer criança do bairro, eu passava os dias na rua, com a diferença de que não me afastava das imediações de nosso portão, porque cabia a mim a responsabilidade de correr para chamar uma vizinha portuguesa que morava na esquina, a única capaz de aplicar a injeção que aliviava o desconforto aflitivo da falta de ar.

Essa tarefa me deixava orgulhoso. Enquanto a molecada da rua era cuidada pela mãe, eu, com quatro anos, era quem cuidava da minha.

O sofrimento durou dois anos, contados desde o parto. Na fase final, as crises de dispneia se repetiam várias vezes por dia. Minha irmã e eu acordávamos durante a madrugada com meu pai segurando-a pelos pés, de ponta-cabeça, magrinha, para expelir a secreção que se acumulava nos brônquios pela falta de força para tossir.

As imagens que tenho dele nessa época são as de um homem de terno entrando pelo corredor, alto, muito magro, rosto encovado, com olheiras fundas e olhar triste. Ou então de calça, camisa e sandália de couro aos domingos, cozinhando, dando banho e passando a nossa roupa. Não me recordo de vê-lo sorrir uma única vez, tinha o cenho sempre carregado.

Muitos anos mais tarde, num curso que fiz no centro de pesquisas e tratamento de câncer Rosswell Park, na cidade de Buffalo, nos Estados Unidos, ouvi o professor de pediatria explicar que uma criança com câncer não sente essa tragédia com a mesma dramaticidade que seus familiares, como ele resumiu num slide com os dizeres: "*For a child it is normal to be sick*". Tenho a impressão de que a criança também aceita com naturalidade infantil o convívio com a mãe gravemente enferma, sem se deixar invadir pela angústia e pelas especulações fantasiosas que a proximidade da morte de uma pessoa querida desperta nos adultos.

Quando escrevi o livro infantil *Nas ruas do Brás*, caí num impasse. Como as histórias que eu estava contando cobriam meus primeiros dez anos de vida, o tempo em que morei no bairro, o narrador não poderia esconder o fato de ter perdido a mãe aos quatro anos, mas como fazê-lo sem chocar os pequenos leitores? Também não queria dar a impressão de tratar o acontecimento com descaso, com superficialidade.

O caminho que encontrei num sábado de chuva, sozinho em casa, foi descrever exatamente como aconteceu.

Num domingo nublado, o movimento em casa começou mais cedo. Quando acordei, minha mãe estava sentada na beira da cama, os pés inchados, com uma pilha de travesseiros no colo, em cima dos quais repousava a cabeça sobre os braços entrelaçados. A respiração estava mais ofegante e as veias do pescoço saltadas, azuis. No nariz havia um tubo ligado ao balão de oxigênio. Lembro que tomei café e dei um beijo demorado em seu rosto pálido. Ela não sorriu dessa vez, apenas voltou os olhos sem luz na direção dos meus. Eu quis ficar sentado no tapete ao lado dela, mas ninguém deixou.

Fui para o portão assistir ao jogo dos mais velhos na porta da fábrica. O Flávio, meu primo e herói — porque aos catorze anos já trabalhava de terno e gravata na Radional, uma companhia de transmissões telegráficas e radiofônicas —, jogava como ponta-direita. Sentei ali quietinho, sem entender por que não me deixavam estar com a minha mãe.

Logo depois, a tia Leonor foi buscar meu tio Amador e meu pai, que tinha ido dormir um pouco na casa da vó Aurélia. Na volta eles passaram calados pelo portão. Meu pai tinha a barba por fazer.

De repente, o silêncio caiu lá dentro. Sem barulho, cheguei até a porta do quarto e parei atrás da minha irmã. Entrava uma luz cinzenta pela janela. Todos permaneciam imóveis em volta da cama. Debruçada sobre a pilha de travesseiros, minha mãe respirava a intervalos longos. Depois, o braço despencou dos travesseiros, a aliança de casamento caiu da mão, correu pelo assoalho e fez três voltas antes de parar.

Eu nunca havia contado essa história — nem para as minhas filhas nem para minha mulher, nem para minha irmã, que assistira à mesma cena. Que força arrebatadora tem a literatura, capaz de nos fazer revelar experiências tão pessoais, mantidas em segredo por mais de cinquenta anos.

Ao terminar a descrição, fiquei com o sentimento ambíguo de quem expôs uma intimidade. Aquele menino era eu, mas ao mesmo tempo não era mais.

O menino doente

Eu tinha sete anos quando um dia acordei com os olhos inchados. Meu pai me levou ao dr. Isaac Mielnik, pediatra com consultório na rua Oriente, a poucas quadras de onde morávamos.

Quando voltamos, meus companheiros do futebol na calçada da fábrica em frente de casa interromperam o jogo e correram até nós: queriam saber se era verdade que os médicos aplicavam injeções enormes nas criancinhas. Com os indicadores afastados um do outro, mostravam seringas imaginárias do tamanho de uma régua escolar.

Nenhuma daquelas crianças — nem meus irmãos nem eu — tinha ido a um pediatra. A pé, do lugar em que morávamos, até a praça da Sé, marco zero de São Paulo, eram trinta minutos no máximo. Apesar da proximidade com a região central da cidade, nenhum de nós recebeu vacinas. Sarampo, coqueluche, varicela, caxumba e difteria eram chamadas de "doenças da infância", espécie de tributo obrigatório para sobreviver até a adolescência.

O primeiro episódio de febre e fraqueza de uma criança sonolenta deixava os familiares apavorados com a poliomielite, virose que deixou sequelas ortopédicas em muitos de meus companheiros de rua e colegas da escola. O som metálico das próteses metálicas que acompanhava os passos de meninos e meninas estava presente em todas as salas de aula.

No começo dos anos 1950, a taxa de mortalidade no primeiro ano de vida ultrapassava 10%, e a expectativa de vida ao nascer não chegava aos cinquenta anos. Se nem as crianças do bairro da zona leste mais próximo do centro da capital que mais crescia no país tinham acesso a alguma assistência médica, o que dizer dos moradores do campo, que representavam mais de 70% da população brasileira?

O dr. Isaac auscultou meus pulmões, pediu para eu dizer "trinta e três" diversas vezes, palpou meu abdômen, puxou para baixo minha pálpebra inferior e se virou para meu pai: "Glomerulonefrite difusa aguda", nome que achei bonito e inesquecível.

Ouvi que seria tratado com injeções de penicilina, antibiótico incorporado à prática médica havia poucos anos, e que eu deveria fazer repouso. As demais recomendações não foram dadas na minha presença.

Em casa, fui direto para a cama. Sentados a meu lado, minha avó Aurélia, meu pai e minha irmã explicaram como seria o mês que me aguardava: seis dias sem comer, os três primeiros sem também beber nada. Do quarto ao sexto dia, meio copo de suco de laranja três vezes ao dia. Na segunda semana, água, porém com restrição de volume, e um prato de sobremesa de arroz cozido sem sal ou tempero, regado com um líquido melado chamado Karo, isso no café, almoço e jantar. Na terceira semana, batata e chuchu cozidos sem sal no almoço e no jantar.

Quando o regime completou um mês, comi macarrão ao alho e óleo e uma coxa de frango sem sal, possivelmente a refeição mais deliciosa que já provei.

O repouso era levado tão a sério que, quando numa de suas

visitas o dr. Isaac me encontrou com uma perna dobrada, empurrou meu joelho para baixo e disse: "Repouso é com as pernas esticadas".

Apesar da sede que apertou no segundo dia, os dois primeiros foram dominados pela fome, agravada pelo movimento da casa no horário das refeições, embora minha avó tomasse o cuidado de fechar a porta da cozinha e evitasse o barulho de pratos e panelas.

No terceiro dia, a sede tomou conta do mundo. Quando os lábios ressecavam, dando a sensação de que iriam rachar, eu recebia um algodão molhado para umedecê-los. Sugado até a última gota, trazia um alívio insignificante, que só poderia ser repetido depois de algum tempo.

Na madrugada do segundo para o terceiro dia, sonhei com a baiana do manjar, personagem que andava pelo bairro com vestido típico, rodado, impecavelmente branco, tabuleiro apoiado num turbante na cabeça e um cavalete na mão, que servia de base para expor à venda os manjares deliciosos que admirávamos sem dinheiro para comprá-los. Meu pai dizia que esses manjares não passavam de água e farinha, não chegavam aos pés dos que ele preparava com leite aos domingos, afirmação que minha irmã e eu ouvíamos calados, mas considerávamos de puro despeito: o manjar da baiana era muito superior.

Naquela noite, sonhei que a baiana do manjar sorria e me oferecia um copo de água, que caiu e se estilhaçou no instante em que estiquei a mão para apanhá-lo. Acordei chorando, sem entender o que acontecera.

Cinquenta e quatro anos mais tarde, a mesma aparição surgiria num delírio febril causado por um ataque do vírus da febre amarela que me levou à falência hepática. Em que escaninho da memória teria se recolhido essa imagem para emergir meio século depois?

Depois de um mês, quando pude levantar da cama, caí ao dar os primeiros passos. A musculatura das pernas estava tão hipotrofiada que não sustentou o peso do corpo emagrecido pela desnutrição.

De onde tiraram a conduta de colocar crianças num regime de fome e sede para tratar de uma doença que injeções de penicilina curavam? O suporte teórico vinha das ideias de um médico na Alemanha, que propunha manter os rins em repouso durante um mês, período que ele julgava necessário para a recuperação do dano sofrido.

Dos primórdios na Antiguidade até a segunda metade do século xx, a medicina baseou-se em superstições, preconceitos, dogmas religiosos, curandeirismo, impressões pessoais e opiniões de médicos influentes, sem compromisso com evidências científicas nem necessidade de estudos clínicos para comprovar as teorias propostas.

Por mais de 2 mil anos, médicos, barbeiros e curandeiros aplicaram ventosas e sanguessugas vivas na pele de pacientes, praticaram sangrias por meio de cortes nas extremidades do corpo, entre outros procedimentos bizarros. As justificativas se sustentavam nos escritos de Hipócrates, segundo os quais a doença quebrava o equilíbrio entre os quatro humores do organismo: sangue, bile amarela, bile negra e linfa. Para restabelecê-lo, era preciso reduzir o volume excessivo do humor sanguíneo, o único passível de manipulação.

As sangrias começaram a cair em desuso a partir do século xix, mas a prática resistiu até o xx. Ainda hoje há defensores da eficácia das ventosas, especialmente quando aplicadas de acordo com os meridianos descritos na medicina chinesa tradicional.

Séculos antes de Cristo, os chineses já apregoavam que preparações contendo ginseng retardavam o envelhecimento, ativavam a memória, restauravam a potência sexual, devolviam as forças aos debilitados, controlavam o diabetes e a hipertensão arterial, crenças que chegaram aos dias atuais sem que nenhum estudo científico as tenha comprovado. Raízes de ginseng de determinadas procedências são vendidas por milhares de dólares no mercado internacional.

    O médico grego Galeno, que viveu de 129 a 200 d.C., escreveu o livro mais influente da história da medicina. Filho de pais abastados, ele visitou centros médicos em Esmirna, Corinto e Alexandria, nos quais sofreu a influência dos mais afamados professores de anatomia. Ao voltar à sua terra natal, Pérgamo, o chefe local dos jogos de gladiadores ofereceu-lhe o cargo de médico dos lutadores, o que lhe deu a oportunidade de observar a anatomia ao vivo.

    Depois de dissecar corpos humanos, e também de cães e macacos, Galeno escreveu um tratado que permaneceu inquestionável por mais de 1200 anos.

    Durante toda a Idade Média, a anatomia humana foi ensinada nas escolas médicas da forma que se acha representada nas pinturas antigas: o cadáver sobre a mesa de mármore sendo dissecado por um barbeiro, com os alunos sentados em roda no anfiteatro, entre os quais o professor com um livro em que eram lidas as descrições de Galeno, sem muita atenção às estruturas anatômicas expostas diante dele.

    Quando um cirurgião alegava alguma discordância entre os achados anatômicos descritos no livro e aqueles encontrados no campo operatório, a resposta era sempre a mesma: "Mas contraria os escritos de Galeno". Era quase heresia contrapor-se aos ensinamentos do médico grego.

    Os estudos da anatomia humana só conseguiu evoluir a partir de 1543, quando Vesalius, um jovem flamengo que roubava ossos e cadáveres nos cemitérios para dissecá-los em casa até a vizinhança reclamar do odor, publicou o *De humani corporis fabrica, libri septem*, mais conhecido como *Fabrica*, um tratado de sete volumes, encadernado em veludo de seda e pergaminho, com cerca de duzentas ilustrações impressas no melhor papel existente, pelo mais talentoso gráfico da época. *Fabrica* é considerado o livro de maior beleza da história da medicina, tido por muitos historiadores como a publicação que trouxe à medicina o método científico de observação da natureza.

A prática médica com diagnósticos comprováveis por exames laboratoriais e imagens, condutas e tratamentos baseados em evidências científicas ainda levaria quatrocentos anos para ser introduzida.

Em 1969, Iain Chalmers, um jovem médico inglês que trabalhava num campo de refugiados palestinos na Faixa de Gaza, tratava crianças com sarampo de acordo com as condutas da época, que recomendavam reservar o emprego de antibióticos aos casos com complicações bacterianas.

Anos depois, seis ensaios clínicos que compararam grupos com antibioticoterapia iniciada logo nos primeiros sinais e sintomas do sarampo com grupos nos quais o antibiótico era prescrito apenas ao surgirem complicações bacterianas demonstraram ser menor a mortalidade das crianças que recebiam antibiótico preventivamente, na fase mais inicial.

Chocado com as vidas que poderia ter salvado se os dados desses estudos fossem conhecidos nos anos 1970, Chalmers formou um grupo dedicado à avaliação sistemática da literatura médica em busca de ensaios clínicos sobre gravidez e parto, área pobre em pesquisas clínicas.

Cerca de dez anos depois, esse grupo publicou os resultados da análise de centenas de trabalhos mostrando que procedimentos adotados de rotina, como a raspagem dos pelos púbicos e a proibição do contato imediato da mãe com o recém-nascido, eram inúteis e até perniciosos.

Em 1991, foi criada a expressão "medicina baseada em evidências", que defendia "o uso consciencioso, explícito e judicioso das melhores evidências existentes na tomada de decisões nos cuidados com cada paciente".

Em 1993, Chalmers e seu grupo fundaram a Cochrane Collaboration, que se propunha a replicar em outras áreas da medicina o modelo de revisões sistemáticas adotado nos estudos sobre gravidez e parto.

O financiamento do National Health System (NHS), do Reino Unido, tornou possível criar um banco de dados acessível on-line. Hoje, a Cochrane reúne 53 grupos e cerca de 30 mil membros em instituições de pesquisas no mundo inteiro. Apenas em 2019 foram publicadas 24 mil revisões sistemáticas.

A maioria de nossos médicos se formou sem ouvir falar em ensaios clínicos fase 1, 2 ou 3 e sem receber noções básicas de análise estatística que lhes permitam avaliar a significância dos resultados numéricos dos trabalhos científicos. Nos próximos anos, boa parte dos 30 mil estudantes que se formarão nas incríveis 310 faculdades de medicina brasileiras sairá despreparada para entender os caminhos que a profissão vai tomar no século XXI.

Da Antiguidade aos anos 1990, passando pela fome e sede com que fui tratado aos sete anos, a medicina foi praticada com base na experiência e nas opiniões pessoais de professores e profissionais em posição de destaque, característica que alguns chamam de "medicina baseada em eminências". Colocar os dados científicos no centro das discussões acadêmicas, das condutas e dos procedimentos provocou uma revolução silenciosa na história da prática médica.

A avó espanhola

Minha avó paterna, Aurélia, não nos deixou passar uma noite sequer na casa em que havíamos perdido nossa mãe. Mudamos para a casa vizinha, na qual ela morava com tio Amador, ainda solteiro, figura marcante com quem convivi até sua morte aos 97 anos, por dengue, ironia do destino. Meu irmão, Fernando, permaneceu sob os cuidados dos avós maternos.

Seguimos vivendo como antes, meu pai com os dois empregos, minha irmã, Maria Helena, no Liceu Acadêmico São Paulo, na rua Oriente, e eu na rua, jogando futebol com a molecada na calçada da fábrica. Se não virei craque foi por falta de talento, não de treinamento.

Enquanto minha mãe era velada na sala de casa, tia Leonor me trocou a roupa e disse: "A mamãe descansou". Fiquei sem saber o que pensar; tinha apenas quatro anos, mas imaginei que descansar devia ser uma coisa ruim, porque todos choravam.

Passadas algumas semanas, senti uma tristeza doída no café da manhã enquanto vó Aurélia fervia o leite, de costas para mim. "Vó, nunca mais vou ver a minha mãe?"

Ela ouviu em silêncio, sem se virar para mim. Tinha lágrimas nos olhos quando consegui ver seu rosto.

Nesse dia entendi que morte era a ausência definitiva.

Vó Aurélia assumiu com desvelo o papel de mãe. Foi tão carinhosa conosco que minha irmã e eu não nos ressentimos da falta de cuidados maternos. Meus companheiros de rua tinham mães e pais autoritários que batiam neles e lhes impunham regras opressivas que minha avó criticava.

Graças a ela, comecei a perceber que ter perdido a mãe me trouxera mais liberdade para brincar na rua sem as surras que meus amigos levavam depois das travessuras.

Havia tantos imigrantes no Brás que, aos sete anos, conseguia entender, pelo menos em parte, o que falavam os espanhóis e os italianos que punham as cadeiras do lado de fora de casa para conversar nas noites de calor. Sentado no chão entre eles, às vezes compreendia o sentido dos comentários maledicentes a respeito do caráter de algum homem ou da conduta de uma mulher da vizinhança. Indiscrições que vinham à tona especialmente nas manhãs de domingo, quando explodia nos cortiços a tensão acumulada na semana e as mulheres se pegavam a tapas e puxões de cabelo.

Ao começarem os gritos que precediam essas brigas, os homens saíam imediatamente à calçada, medida providencial para evitar um envolvimento com consequências imprevisíveis. Nós interrompíamos o futebol e corríamos para a porta do cortiço convulsionado.

Lá ouvíamos cada um se queixar da própria mulher: "A Carmela é muito esquentada", "Sua mulher até que é calma, a minha Dolores é uma pilha de nervos".

O que nos interessava, entretanto, eram as agressões verbais e os xingamentos das mulheres: "Ordinária é a sua tia, que teve filho solteira!", "E a sua prima, que namora homem casado?",

"Sem-vergonha é a sua irmã, que fica na janela piscando pro primeiro que passa!".

A educação sexual das crianças acontecia nas ruas. Estava longe das histórias idílicas da sementinha do papai colocada no ventre da mamãe. Aos cinco anos eu já sabia que toda gravidez era fruto de ato sexual, prática apresentada como pecaminosa, causadora dos gemidos maternos que acordavam as crianças amontoadas nos quartos.

Não contava para ninguém "essas coisas" que tinha ouvido na rua, sobrepostas às que a imaginação infantil acrescentava. Quando entrei na escola com sete anos, a consciência de que eu conhecia comportamentos sexuais que meus colegas desconheciam me trazia vergonha e sentimento de culpa, como se apenas eu estivesse a par de segredos tão escondidos das crianças.

Devagar, as saudades da mãe se espaçaram. Às vezes, pensava nela, como acontece até hoje, mas faz parte da primeira infância aceitar com resignação o destino imposto; a consciência de que é possível rebelar-se contra ele vem mais tarde. À diferença de nossos primos e dos meninos da rua, minha irmã, meu irmão e eu não tínhamos mãe, mas pai e avós que nos criavam. Era dessa forma que a realidade se apresentava.

A primeira inquietação surgiu quando vó Aurélia se afastou de casa para ser operada do seio. Mesmo sem ter ideia do significado de uma cirurgia como aquela, percebi na fisionomia de meu pai e de seus irmãos um ar grave que interpretei como de mau presságio.

Não sei quanto tempo passou até surgirem as dores que a obrigavam a se deitar durante o dia, fato inusitado para uma espanhola ativa como ela.

Com o agravamento dos sintomas, pressenti que iríamos perdê-la como havíamos perdido a mãe; eu já tinha oito anos de idade e experiência prévia. Embora nada dissessem para nós, a família repetia os cochichos pelos cantos, as lágrimas disfarçadas e as mesmas atitudes tomadas junto ao leito de minha mãe.

Tenho imagens nítidas desses dias, sentado ao lado da cama dela, conversando, ouvindo histórias de quando ela era criança, do inverno na aldeia da Espanha e do vento gelado que entrava pelos vãos das paredes de pedra da casa em que morava, enquanto eu cerzia um tapetinho que a professora havia ensinado a costurar na escola. Ficava ali o mais que podia, desobedecendo as recomendações dela para eu ir brincar na rua. Sofria calado e até chorava escondido, sem coragem de confessar as angústias para meu pai e meus irmãos, por achar que só eu antevia o desenlace.

Vó Aurélia foi velada entre castiçais prateados, veludos pretos com bordas douradas e flores brancas na sala de visitas de casa, como era costume. Na véspera, minha irmã fora levada para dormir com as primas na casa do tio Odilo, e eu para ficar com meu irmão na casa da avó Ana.

Eu estava muito triste. Com um aperto no peito, fui sozinho para o terraço no topo do sobrado, deitei no chão para olhar o movimento das nuvens no céu e chorei bastante.

Na manhã seguinte vieram me buscar para o velório.

Encontrei a família e os vizinhos em volta do caixão, ao lado do qual estava sentado meu pai, de terno cinza com uma fita preta em sinal de luto costurada na gola do paletó. Quando me aproximei, ele me pegou no colo. Nós nos abraçamos e choramos. Só então consegui revelar o medo que me atormentava havia meses: "E agora, pai, o que vai ser de nós?". Ele me abraçou apertado: "Você esquece que vocês têm pai?".

O colegial ateu

"Fiz tua matrícula no Colégio Arquidiocesano", disse meu pai num domingo à tarde, enquanto tirava um bolo de fubá do forno.

Fiquei pasmo. Acabava de terminar o antigo ginasial no Liceu Pasteur, na Vila Mariana. Gostava do colégio que tinha me ensinado francês, dos colegas de classe e do futebol no campo de terra. Além disso, ao contrário das classes do ginásio, as do colegial seriam mistas, oportunidade que eu teria para me aproximar de uma menina de tranças e olhar luminoso que sorria ao passar por mim no portão de entrada.

Não ousei perguntar por que não me consultara, assuntos pertinentes à escola dos filhos eram decididos por ele sem considerar nossa opinião. Apenas quis saber o que o levara a tomar atitude tão radical.

"Você precisa de formação religiosa. Não estou para ter filho ateu com catorze anos."

De fato, acho que eu já era ateu desde os dez anos — mesmo sem ter ideia do que a palavra significava —, idade em que frequentei o curso de catecismo, pré-requisito para a primeira comunhão.

Na última aula, a professora disse que ao recebermos a hóstia deveríamos levá-la com a língua ao céu da boca e esperar que ela se dissolvesse. E advertiu: "Não mastiguem, a hóstia é o corpo de Cristo. No norte da França, um menino que mordeu a hóstia ficou com a boca cheia de sangue".

Achei a história muito estranha, mas não tive coragem de testá-la na cerimônia da primeira comunhão porque meu pai tinha me comprado um terninho de linho branco que tive medo de manchar de sangue.

Um mês depois, um de meus tios fez bodas de prata. Antes da missa comemorativa, precisei inventar dois pecados para o padre na confissão, exigência para poder comungar.

Ajoelhado junto ao altar, recebi a comunhão e voltei para o meu lugar. Mordi a hóstia devagar uma, duas, três vezes. Senti só o gosto da farinha. Disfarçadamente, levei o indicador à boca. Não havia sinal de sangue. Comecei a duvidar.

A transferência de uma escola leiga para a dos irmãos maristas daquele tempo não ocorreu sem incidentes. A maioria dos alunos do Arquidiocesano era de família de fazendeiros e comerciantes do interior, matriculados no regime de internato desde os dez anos, quando atingiam a idade mínima para cursar o ginasial. Os alunos externos eram em número pequeno, e eu, que vinha de outra escola, era a minoria dessa minoria.

Em pouco tempo entendi que as regras de comportamento do Liceu Pasteur podiam se chocar com as adotadas no novo colégio. Por exemplo, no Pasteur, quando as aulas de educação física acabavam, tomávamos banho nos chuveiros coletivos e nos trocávamos no mesmo vestiário. Na primeira aula de educação física no Arquidiocesano, prestei a maior atenção para ver como os alunos faziam na hora do banho.

De calção e camiseta, todos se dirigiam aos armários do vestiário, pegavam a toalha e caminhavam até os banheiros individuais alinhados ao longo do corredor do pátio, de onde saíam enrolados na toalha de banho, com calção e camiseta nas mãos, em direção ao vestiário. Fiz exatamente o mesmo.

No vestiário, abri meu armário, guardei a roupa de ginástica, deixei cair a toalha no chão para pisar em cima dela e ia pegar a calça, quando percebi que todos me olhavam, alguns disfarçando o riso, outros me fazendo sinais. Então notei a presença do irmão José, coordenador do colegial, apelidado de Zé Pequeno, que, atrás de mim, começou a vociferar palavras que eu não entendia.

Fiquei ali, de frente para ele, com a nudez insegura dos meus catorze anos, paralisado. Esbaforido, vermelho como um pimentão, apoiado na ponta dos pés para compensar sua baixa estatura, o religioso gritava tanto que espumava e cuspia: "Cubra essas vergonhas! Cubra essas vergonhas!". Não sei quantas vezes ele precisou repetir a ordem, até que meu vizinho de armário jogasse uma toalha salvadora para mim.

Fiz bons amigos no colégio. Fui bom aluno em algumas matérias, mediano em outras. No terceiro colegial, fiz o cursinho no período da noite.

Nos primeiros dias de aula no Curso Nove de Julho, fiquei impressionado com o nível dos alunos. Achei que nunca entraria na faculdade de medicina. Entre meus colegas de classe destacavam-se os excedentes, categoria formada pelos aprovados nos vestibulares de anos anteriores, mas sem média suficiente para estar entre os selecionados.

Os excedentes sabiam tudo, respondiam todas as perguntas dos professores, acertavam os problemas mais difíceis de física e química e repetiam de cor as descrições da zoologia. Havia muitos orientais, descendentes das primeiras gerações de imigrantes japoneses que se estabeleceram no bairro da Liberdade. Eram bem-educados, mas de poucas palavras, atentos às explicações dos professores, acabavam os exercícios quando eu estava na metade.

Muitos trabalhavam durante o dia, e no fim das aulas, às onze da noite, iam do cursinho, que ficava na praça da Liberdade, coração do bairro oriental de São Paulo, a pé para casa.

No cursinho, conheci João Guerra, cujo pai era dono de um armazém que ficava a meia hora a pé da nossa casa na Vila Mariana. Ele e a família tinham chegado havia pouco de Itapira, cidade próxima de Campinas, na direção de Minas Gerais. João tinha um sotaque interiorano tão forte que era difícil compreendê-lo quando falava depressa, como usualmente fazia.

Era alto e corpulento, observador acurado das idiossincrasias humanas, sempre disposto a gozar os colegas da capital: "Muito delicados pro meu gosto caipira". Ríamos demais das histórias de Itapira, cheias de detalhes, enxertadas de comentários paralelos feitos por terceiros, contadas num só fôlego, como se conhecêssemos desde a infância os personagens envolvidos. Tantos eram os casos narrados que, depois de um tempo, tínhamos a impressão de ser íntimos da cidade inteira.

A proximidade de nossos bairros ajudou João e eu a formarmos uma parceria que se estenderia pelos dois anos seguintes. Fomos reprovados no vestibular daquele ano, apesar de termos ficado entre os trezentos candidatos com notas mais altas. Meu desapontamento foi grande; era a primeira reprovação da minha vida escolar.

Convencidos de que era preciso disciplina e dedicação integral, organizamos um programa de estudos que dominou nossa vida naquele ano todo. Depois do almoço, íamos para as aulas do cursinho Nove de Julho, que terminavam às seis e meia da tarde. Pegávamos o ônibus para a minha casa, jantávamos e abríamos os livros na mesa da cozinha. Deixávamos um radinho na mesa ao lado, para ouvir música durante a noite, cada um entretido com suas matérias, sem trocar uma palavra até as cinco da manhã, quando João ia embora. Dormíamos até o meio-dia e nos encontrávamos no cursinho para as aulas da tarde.

Fomos aprovados no vestibular de medicina da USP de 1962, o mais concorrido do país naquela época.

Hoje dou valor à maturidade que tive com dezessete anos para me dedicar ao que desejava com tamanha disciplina. Foi no cursinho que descobri o prazer de estudar e de aprender.

Professor de cursinho

Com dois empregos e uma jornada de trabalho das oito da manhã à meia-noite, não havia sido fácil para meu pai nos manter em escolas particulares, como sempre teimou em fazer. Comecei a procurar emprego já nos meus primeiros dias de faculdade.

Com aulas em tempo integral, decidi disputar uma vaga que a Caixa Econômica Estadual oferecia para estudantes universitários no período noturno. Fiz a entrevista e aguardei o resultado, que sairia em duas ou três semanas.

Dias depois, eu jogava futebol no clube dos alunos da faculdade após as aulas, quando João Carlos Di Genio, colega do terceiro ano, apareceu trazendo um recado que mudaria meu caminho: "Vamos até o cursinho. O professor Geraldo convidou a gente para dar aula".

Nós dávamos aulas práticas de física. Trabalho duro que nos tomava todas as noites, os sábados inteiros e as manhãs de domingo. Valia a pena, pois com dezoito anos eu já ganhava mais do que meu pai.

Dois anos depois, fomos promovidos a professores do curso

teórico: ele de física, eu de química. Em pouco tempo éramos os professores mais populares do cursinho.

No quarto ano da faculdade, Di Genio e eu formamos grupos de alunos para dar aulas de reforço. Cada um tinha o seu grupo. Saía em conta para o aluno, era um bom dinheiro extra para nós e atendia aos interesses do dono do cursinho em exibir nos jornais a lista de alunos aprovados no início de cada ano, item fundamental para o sucesso de novas matrículas na competição com o Curso Brigadeiro, nosso principal concorrente.

Em novembro daquele ano, depois da última aula do período noturno, Di Genio e eu jantávamos no Gigetto, restaurante frequentado por jornalistas e pelo pessoal de teatro, quando surgiu uma ideia que ele diz ter sido dele e eu insisto que foi minha. Como não havia testemunhas, a autoria jamais será confirmada.

As faculdades de medicina aplicavam o exame vestibular nos primeiros dias de fevereiro. As aulas dos cursinhos, entretanto, terminavam na semana do Natal. O mês de janeiro ficava livre para os alunos estudarem em casa.

A ideia de autoria incerta foi a de juntarmos os nossos alunos particulares para darmos aulas de reforço também no mês de janeiro.

Consultamos o dono do cursinho. Ele elogiou nossa iniciativa, mas sugeriu que alugássemos salas de aula no centro da cidade, porque as do Nove de Julho ficariam fechadas no recesso de férias.

Testamos entre os alunos a receptividade da ideia. O resultado nos deixou tão animados que decidimos aumentar a abrangência do curso, convidando mais dois colegas: Tadasi Ito e Roger Patti, professores de física e de biologia, respectivamente.

Alugamos quatro salas em uma escola situada na praça Carlos Gomes, perto da praça da Sé, e marcamos a data para começar. Uma semana antes, publicamos uma propaganda com menos de um quarto de página no *Jornal da Tarde*, o mais lido pelos estudantes daquela época, anunciando que as vagas seriam limitadas.

Os cursinhos tinham nomes pomposos: Brigadeiro, Di Tulio, Anglo Latino, Nove de Julho. Ao nosso dei o nome de Objetivo, autoria inconteste dessa vez.

Na véspera do sábado em que seriam abertas as inscrições, passamos a noite na garagem da casa do Di Genio imprimindo apostilas num mimeógrafo alugado, peça de museu que só avós dos estudantes de hoje conheceram.

Às três da manhã, combinamos que ele terminaria a impressão, enquanto eu dormiria até as sete no quarto dele, para estar na sala de inscrições às oito, horário anunciado no jornal.

Quando cheguei às proximidades da praça Carlos Gomes, dei de cara com uma cena inesperada: a fila dobrava o quarteirão. Nela, reconheci vários alunos nossos, mas havia muitos desconhecidos. Subi as escadas e liguei para o Di Genio.

Inesquecível também foi o diálogo:

"Vamos matricular todo mundo", ele disse com voz de sono.

"Você está louco? Somos quatro professores, temos quatro salas com cinquenta cadeiras, eles são quinhentos ou mais. Como vamos acomodar todo mundo?"

"Esse é outro problema."

Quando o dono do cursinho Nove de Julho soube que estávamos convidando mais professores e alugando novas salas de aula, chamou nós dois para uma conversa, na qual nos comunicou que estava arrependido de nos haver incentivado. Fazia questão de que o curso fosse dado nas dependências do Nove de Julho, com as aulas pagas ao preço que recebíamos pelas regulares.

Fiz as contas de cabeça.

"O senhor propõe nos pagar quinhentos, quando vamos ganhar 5 mil cada um. Por que razão aceitaríamos?"

"Para ficarem bem comigo."

"Para mim é pouco", respondi.

"Também acho", acrescentou Di Genio.

O curso de férias foi um sucesso. Dava trabalho acomodar os novos alunos que apareciam. Quando não conseguíamos, vinham os pais pedir que déssemos um jeito.

Apesar do êxito, nenhum dos dois tinha pensado em fundar um novo cursinho. Éramos jovens. Di Genio terminara a faculdade naqueles dias, eu tinha 22 anos, achava que o dinheiro ganho naquelas férias seria suficiente para me manter durante os dois anos que faltavam para me formar.

No entanto, já tínhamos alunos, salas de aula, conhecimento do mercado e a possibilidade de contratar os melhores professores de São Paulo.

Apreensivos, os donos do Nove de Julho e do Brigadeiro, adversários tradicionais, se uniram para impedir que crescêssemos. Fizeram até um pacto para não tirarem professores um do outro, ao qual Di Genio reagiu, quando soube: "Só esqueceram de convidar a gente para esse pacto".

Saímos contratando os melhores professores de São Paulo. Não houve dificuldade para convencê-los, pagávamos o dobro pela hora de aula.

O crescimento foi tão rápido que os outros cursinhos fecharam as portas depois de um ano, por falta de alunos.

Em pouco tempo o Objetivo fez uma revolução, nunca reconhecida pelo establishment educacional, que torcia o nariz para os cursinhos, rotulados como excrescências do ensino. Mais tarde, muitos dos que deram aula no Objetivo se tornaram professores da USP e de outras universidades, editores, jornalistas de destaque, intelectuais respeitados e até políticos com cargos eletivos.

O sucesso se deveu às inovações que introduzimos. Numa época em que os professores ditavam a matéria para os alunos anotar nos cadernos, o Objetivo distribuía apostilas gratuitamente. Fomos os primeiros a ensinar por circuito interno de televisão, recurso considerado revolucionário nos anos 1960. Criamos o que os alunos chamavam de ibope, uma pesquisa interna de opinião por meio da qual todo fim de mês os estudantes avaliavam a qualidade das aulas: ótimas, boas, regulares ou fracas. De acordo com os índices obtidos, o valor da aula pago aos professores podia ter um acréscimo de até 30%.

Passados cinquenta anos, ainda encontro com frequência ex-alunos nossos que me dizem nunca ter assistido a aulas tão boas — nem antes nem depois do Objetivo.

Chegamos a ter 10 mil alunos na unidade da avenida Paulista, divididos em salas de aula com cerca de quatrocentos, nas quais o professor, com microfone, giz e quadro-negro, expunha a matéria exigida pelo programa do colegial diante de vestibulandos silenciosos e compenetrados.

Acho que ainda não fomos capazes de criar uma ferramenta visual de ensino mais completa do que o quadro-negro. Não que os recursos visuais disponíveis hoje sejam inferiores; pelo contrário, permitem exibir imagens com detalhes e movimentos inacessíveis aos métodos não eletrônicos, mas padecem de um mal insanável: a atenção dos alunos se volta para a luz que vem da tela de projeção, enquanto o professor é mantido na penumbra.

No quadro-negro, com o giz, as atenções se fixam no professor, a explicação que vai se formando no quadro acompanha o raciocínio em tempo real, da mesma forma que no palco o ator interpreta o personagem com os refletores voltados para ele. Ao escrever ou desenhar no quadro enquanto fala, o professor estimula simultaneamente a memória auditiva e a visual.

Naqueles dias, chegávamos a dar a mesma aula 25 vezes por semana. Num quadro-negro de seis metros, que ia de uma ponta a outra da sala, eu começava a aula a partir da esquerda. Não apagava nada. Quando chegava ao fim da extremidade direita, o sinal tocava, infalivelmente, a menos que estivesse atrasado. É provável que eu repetisse as aulas com as mesmas palavras.

Hoje, quando um amigo elogia minha capacidade de comunicação, como se fosse um dom pessoal, fico até chateado. Não se trata de qualidade inata, mas consequência de um processo de treinamento intensivo que durou vinte anos.

Já naquela época eu sabia que não seria professor de cursinho para sempre e que não teria o talento necessário para administrar uma escola, tarefa que foi assumida em tempo integral pelo Di Genio com tanta habilidade e dedicação compulsiva que, em alguns anos, ele fundou uma rede de colégios Objetivo e a Unip, Universidade Paulista, que se tornaria a maior universidade privada do país.

Assim que antevi a possibilidade de manter a família apenas com o exercício da medicina, parei de dar aulas. Passei a receber menos de 20% do que recebia no cursinho, mas nunca me arrependi.

A maternidade

No quarto ano da faculdade, fui aprovado para um estágio na Cruzada Pró-Infância, maternidade beneficente no centro de São Paulo. Mais tarde, a Cruzada daria origem ao Hospital Pérola Byington, um dos centros mais importantes de atendimento público às mulheres.

A taxa de natalidade brasileira nos anos 1960 chegava a seis filhos por mulher, e o fluxo de migrantes vindos do Norte, Nordeste e do interior do estado era interminável. Fizesse frio ou o calor de janeiro, as grávidas chegavam agasalhadas com malhas grossas, lenço na cabeça e cachecol de lã. Vinham acompanhadas da mãe, da irmã ou de uma vizinha. Maridos e pais quase não havia; maternidade era assunto feminino.

As equipes tinham um médico-chefe, um residente já formado, um aluno do sexto ano, dois do quinto e dois do quarto, para dar conta de trinta a quarenta partos em cada plantão de 24 horas.

Os mais jovens ficavam encarregados da admissão dos casos novos, dos controles de pressão arterial, da frequência das contrações uterinas e dos batimentos cardíacos da mãe e do feto durante o trabalho de parto das pacientes internadas, da realização dos partos normais e do auxílio cirúrgico às cesarianas realizadas pelos sextanistas e pelos já formados.

A engrenagem precisava funcionar com precisão. Levar para a sala de parto a mulher que ainda demoraria para dar à luz valia uma advertência dos mais velhos, já que desfalcava a enfermaria de um de nós e impedia o acesso dos casos mais urgentes à sala. Por outro lado, esperar mais tempo para transferir a parturiente aumentava o risco de o nascimento ocorrer na cama, motivo para repreensões e chacotas.

Em meu primeiro dia como estagiário na Cruzada Pró-Infância, Eustachio Cicivizzo, chefe do nosso plantão e que mais tarde seria meu paciente, avisou, entre outras recomendações: "Quando vocês escutarem os gritos de uma parturiente italiana, vão lá ver o que está acontecendo. Agora, se ouvirem um gemido de uma japonesa, larguem tudo e saiam correndo, porque vai nascer na cama".

As noites eram tão atribuladas que ficávamos com a impressão de que os bebês combinavam nascer de madrugada só por maldade, para nos atazanar. Se havia uma trégua, mal nos encostávamos no sofazinho barato coberto de plástico da sala dos médicos, e uma luz vermelha já acendia no alto da porta, acompanhada de um sinal estridente, repetitivo, avisando da chegada de mais uma paciente na Admissão, no térreo.

Não havia tempo a perder, porque às vezes as mulheres já chegavam em período expulsivo, resultado da inexperiência, da falta de dinheiro para a condução, da dificuldade para conseguir transporte público na periferia e da eficiência das contrações uterinas em mães multíparas. Muitas davam à luz no carro que as transportava ou chegavam em viaturas da polícia, com o bebê entre as pernas ligado ao cordão umbilical, amparado por um policial pálido, trêmulo e mudo no banco de trás. Nem sei quantos partos fazíamos nessas condições.

Um fim de tarde, fui chamado às pressas para atender uma mulher que dava à luz no interior de um ônibus que o motorista desviara para a frente da maternidade. Mal deu tempo de pegar o material.

Precisei gritar para abrir espaço na aglomeração de mulheres que cercava a parturiente deitada no corredor do ônibus, parte formada por curiosas, parte por senhoras de tranças compridas que faziam uma oração conjunta para Nossa Senhora do Bom Parto, como se a santa fosse surda. Em respeito, o motorista, o cobrador e os passageiros homens tinham descido do ônibus.

Quando saí com o bebê envolto no campo cirúrgico, ouvi tantas bênçãos e graças a Deus, que atravessei a rua quase convencido de que eu era mesmo um enviado do Todo-Poderoso.

Jantávamos na sala dos médicos, sanduíches de queijo e presunto e pizzas engorduradas servidas em pedaços em guardanapos que grudavam na muçarela, encomendados numa padaria das redondezas. A maioria das noites, nós, os mais jovens, passávamos em claro, até as sete da manhã, horário de apresentar os casos para a equipe que nos rendia. Mal dava tempo para o banho e o café preto, para não perdermos a primeira aula na faculdade.

Numa dessas noites atribuladas, o chefe do plantão me chamou numa das enfermarias para eu ver uma parturiente que havia sangrado muito. Pediu que eu infundisse sangue sob pressão, para evitar que ela entrasse em choque hemorrágico. Comum naquele tempo, em que os frascos de sangue eram de vidro, a prática consistia em desconectar o tubo ligado ao aparelho de medir pressão, conectá-lo à entrada do respirador do frasco e insuflar o manguito para que o ar pressionasse a coluna do sangue em seu interior a gotejar mais depressa. Foi o que fiz.

O procedimento exigia que um de nós permanecesse à beira

do leito, por causa do risco. A transfusão devia ser interrompida assim que o gotejamento se aproximasse do final, caso contrário o ar sob pressão no interior do frasco seria insuflado diretamente na corrente sanguínea, provocando embolia gasosa maciça e morte imediata.

Puxei uma cadeira para o lado da cama da parturiente, peguei uma pilha de prontuários médicos e comecei a escrever as evoluções das parturientes que eu havia acabado de examinar. A cada frase registrada, eu voltava os olhos para o nível do sangue que escoava.

De repente, uma auxiliar de enfermagem corpulenta saiu apressada da enfermaria em que estávamos no exato momento em que uma obstetriz miúda, filha de japoneses, entrava carregando uma bandeja com dois frascos de sangue. A desproporção física dos corpos em colisão derrubou a obstetriz e a bandeja. Um dos frascos se espatifou, ensanguentando as duas mulheres, as paredes e o leito da paciente mais próxima da porta.

Sentado de costas para a cena, tomei um susto com os gritos e o barulho de vidro quebrando. Sem entender o que se passava, corri para socorrer as mulheres ensanguentadas. Ajudei a obstetriz a se levantar, peguei uma toalha na cama ao lado e comecei a enxugá-la, à procura de algum ferimento que justificasse aquela quantidade de sangue.

Quando outras pessoas atraídas pela confusão entraram na enfermaria e ficou claro que ninguém se ferira, lembrei da transfusão. Havia um resto de sangue no fundo do frasco. Arranquei a agulha da veia da paciente sem sequer retirar o esparadrapo que a fixava ao antebraço dela. O sangue que ainda sobrava no frasco esguichou na minha calça branca e no chão da enfermaria, acompanhado pelo ruído do ar descomprimindo, idêntico ao de um pneu com a válvula aberta.

Minha boca secou. Precisei sentar para que as pernas parassem de tremer. Um colega que havia acabado de entrar perguntou por que eu estava tão pálido. A paciente, que a tudo assistira em silêncio, comentou candidamente: "Coitado do doutor, sujou toda a calça".

Não me lembro de outro dia em que estive tão perto de chorar numa crise de desespero.

Não sei como eu teria reagido se aquela mãe de quatro filhos morresse. O acidente com as mulheres ensanguentadas não me serviria de atenuante. A julgar pela sensação de culpa que sinto até hoje por esse desfecho quase trágico, acho que não teria conseguido suportar tamanha carga emocional. Com 22 anos, tive certeza de que abandonaria a faculdade.

A culpa

Mesmo em condições menos dramáticas, a culpa é pano de fundo em nossa profissão. Acordamos, passamos o dia e vamos para a cama na companhia dela.

Outros profissionais podem se sentir culpados por erros cometidos, arrepender-se de decisões tomadas e de outras que foram deixadas de lado, lamentar os equívocos que prejudicaram ou impuseram perdas pessoais ou a terceiros. Mas na medicina as consequências são mais dramáticas; está em jogo a vida de alguém que a entregou aos nossos cuidados.

Na oncologia, por exemplo, a escolha de um tratamento agressivo ou mais brando e, principalmente, a decisão de apenas observar a evolução sem interferir só se mostrarão acertadas com o passar do tempo; anos, na maior parte das vezes. Até lá, em maior ou menor grau, viveremos a angústia da espera, porque não há como evitar o medo de que surjam complicações tardias, preocupação que nem sempre pode ser compartilhada com os doentes e familiares.

Nos casos em que a doença retorna, além da sensação de

fracasso vem o sentimento de culpa: e se eu tivesse tratado com mais agressividade? Errei ao contraindicar a quimioterapia? Ou ao indicá-la? Não seria melhor ter recomendado uma nova cirurgia? Como deixei passar determinado sintoma? Interpretei mal aquela imagem?

Quantas vezes fiquei e vi colegas atormentados por essas dúvidas; cirurgiões deprimidos por terem optado por uma técnica que no pós-operatório provocou complicações; clínicos por errarem o diagnóstico, pedirem exames que causaram problemas ou prescreverem medicamentos com efeitos colaterais desastrosos naquela pessoa. A desproporção entre o pequeno número de erros ocasionais e a quantidade de acertos diários não ameniza a culpa. Como ouvi de um professor de cardiologia: "Mil pacientes curados não servem de consolo para um caso mal encaminhado".

Conheci uma mastologista americana que guardava numa caixa as cartas que pacientes agradecidas haviam encaminhado a ela no decorrer de sua longa carreira, para relê-las quando se sentisse culpada.

No sexto ano, no internato, atendi um menino de três anos, no pronto-socorro do Hospital das Clínicas, com um pequeno corte no supercílio. Expliquei que ele só sentiria a picada da anestesia local, a sutura seria indolor.

Quando dei o primeiro ponto na pele, entretanto, o menino pulou na maca, precisou o pai contê-lo. Apliquei mais anestésico, que também não foi capaz de evitar outro grito e a mesma reação anterior. Achei estranha a insensibilidade dele à anestesia, procurei acalmá-lo e repeti a infiltração, dessa vez em dose dupla. Mal a agulha penetrou, a criança voltou a chorar.

Só então desconfiei do anestésico. No rótulo do frasco de formato característico da xilocaína estava escrito à mão, em letras apagadas: soro antitetânico. Alguém tinha usado um frasco vazio do anestésico para guardar o soro, prática condenada pelos manuais mais elementares.

Até hoje me culpo por não ter conferido o rótulo do frasco antes de injetar o líquido, precaução que nunca mais deixei de tomar. Ainda me lembro do olhar de pavor do menino e das lágrimas silenciosas no rosto do pai, um preto alto, de camisa branca e paletó azul-marinho, que ainda me agradeceu ao sair com o filho.

Nos anos 1970, atendi no Hospital do Câncer, de São Paulo, uma senhora japonesa com um tumor recidivado no lábio inferior. A lesão media cerca de dez centímetros, invadia a estrutura óssea da mandíbula, ulcerava a pele, sangrava, repuxava o lábio para a esquerda e mantinha a boca permanentemente aberta. O casal de filhos que a acompanhava traduzia a consulta para o japonês.

Expliquei que a única possibilidade de tratamento seria a quimioterapia — que naqueles dias ensaiava os primeiros passos —, mas que havia riscos para uma pessoa debilitada como ela. A filha disse que a mãe pedia que fizéssemos o possível para livrá-la das dores, da impossibilidade de se alimentar e da secura na boca que dificultava o sono.

Internei-a, prescrevi duas transfusões de sangue, corrigi a hidratação e pedi que fosse passada uma sonda gástrica para alimentá-la. Depois de alguns dias, foi possível administrar o esquema de quimioterapia recomendado para esse tipo de neoplasia na época.

A resposta veio rápido. Já nas primeiras 24 horas o sangramento parou e a dor desapareceu. Em dois dias, a redução das dimensões da lesão era evidente. Dei alta com a recomendação de que retornasse ao ambulatório na semana seguinte.

No dia marcado, vieram os filhos para avisar que a mãe tinha ficado muito feliz com o tratamento que lhe permitira fechar a boca e tomar sopa, mas que falecera de septicemia no fim de semana. Descansara, segundo eles. Em agradecimento, traziam de presente uma tigela decorada com motivos japoneses.

Fiquei péssimo. A quimioterapia havia reduzido o número de glóbulos brancos a ponto de torná-los incapazes de conter a infecção que provavelmente se originara na lesão ulcerada. Para os filhos, a morte sem dores nem sangramento de sua mãe serviu de consolo, mas não para mim. A doença era grave e incurável, na fase em que estava haveria pouco tempo de vida, porém o objetivo não fora encurtá-lo.

Nunca mais me esqueci dessa senhora. Não consegui me conformar nem atribuir a causa do desenlace a uma das complicações possíveis da quimioterapia numa paciente grave. E se eu tivesse feito de outra maneira? E se tivesse empregado doses menores do que as preconizadas? E se a tivesse convencido a permanecer no hospital mesmo contra sua vontade? Tantos anos mais tarde, e ainda me lembro do sorriso dela ao receber alta.

Há profissões que podem requerer a dedicação exigida pela prática médica, mas não conheço outra que o faça ininterruptamente. Em mais de cinquenta anos de atividade intensa, não consigo lembrar de um único dia em que fui para a cama com a sensação do dever cumprido: faltaram telefonemas para dar, alguém para ver no hospital, a discussão de um caso com um colega, a avaliação de um exame de imagem, um relatório para escrever, um artigo para ler, o WhatsApp e o e-mail que ainda não respondi.

A advogada, o engenheiro ou a professora também dirão que o seu dia acaba antes do fim dos compromissos, mas para o médico as consequências são impiedosas, porque eventualmente ameaçam o bem-estar ou a integridade física dos que estão a seus cuidados.

O tempo não me ajudou a lidar melhor com a sensação de culpa; pelo contrário, tornou-a pior.

No início da carreira, não me faltavam certezas. Acreditava que seria um bom profissional se acompanhasse a literatura especializada e estudasse para adotar as condutas recomendadas nos consensos internacionais publicados pelas sociedades médicas. Se, por acaso, a evolução fosse desfavorável, ficaria livre de críticas e em paz com a consciência; havia feito o que estava nos livros.

Com a experiência, veio um entendimento mais profundo dos processos patológicos, das complicações possíveis, da influência da biodiversidade e dos anseios humanos que interferem na evolução, na variabilidade da resposta terapêutica e nos efeitos indesejáveis das drogas e dos procedimentos técnicos. O medicamento que ajuda um prejudica outro com diagnóstico igual; a cirurgia que cura um senhor de noventa anos com apendicite dá errado na menina de dezoito anos operada pelo mesmo cirurgião no dia seguinte. As idiossincrasias e as diferenças fisiológicas entre os organismos introduzem variáveis que tornam única a enfermidade daquela pessoa diante de nós. Não há certezas na medicina, lidamos com probabilidades.

O conhecimento e a experiência aumentam a complexidade das escolhas, as inseguranças, as divergências e as incertezas inerentes a elas. Quanto mais velho e experiente fico, mais dúvidas carrego.

Sanitarista frustrado

Difícil dizer se o contato precoce com o sofrimento e as mortes de minha mãe e de minha avó interferiu na escolha da medicina. Meu pai contava que manifestei essa intenção com três anos, quando perguntaram o que eu gostaria de ser quando crescesse.

Enquanto meu irmão queria ser índio para não ter que se vestir, ou bombeiro para usar farda, bota e capacete, nunca me passou pela cabeça outra profissão. Se, por algum desencontro, eu tivesse perdido ou desperdiçado a oportunidade de me formar médico, talvez carregasse essa frustração para sempre.

Muitos anos atrás, li comentários sobre um trabalho realizado com estudantes da escola primária acompanhados por várias décadas, que mostrou maior probabilidade de realização pessoal entre os que haviam escolhido a profissão ainda na infância do que entre aqueles que se decidiram mais tarde, depois de hesitações e incertezas.

Para mim, a indecisão e as dúvidas só surgiram na hora de escolher a especialidade. Depois de formado, decidi fazer residência na cadeira de medicina preventiva, criada naquele ano na faculdade de medicina da USP. Num Brasil pobre e analfabeto, com milhões de pessoas em áreas infestadas por endemias rurais, a Universidade de São Paulo só entenderia a necessidade de incorporar a saúde pública ao currículo quando graduava a quinquagésima turma de alunos.

Não tive problema para ser selecionado para a residência. A preferência de meus colegas era pelas especialidades clínicas e, principalmente, pelas cirúrgicas. Na geração que nos precedeu, os médicos mais famosos e influentes eram os cirurgiões.

No primeiro ano, a programação consistia em estágios de um mês pelas principais clínicas de medicina interna do Hospital das Clínicas. Passávamos o segundo ano no curso da Faculdade de Saúde Pública, que nos conferia o diploma de sanitarista.

Em 1969, nesse curso, reencontrei meu ex-professor de parasitologia, Luiz Rey, uma das maiores autoridades brasileiras em malária, que em 1964 havia sido despedido compulsoriamente da USP pela ditadura.

Depois de trabalhar no México, Luiz Rey tinha sido chamado pela Faculdade de Saúde Pública graças à pressão de diversos cientistas. A universidade não podia prescindir de um pesquisador qualificado como ele. No entanto, como o regulamento interno da faculdade exigia que os professores contratados tivessem o diploma de sanitarista, Rey se tornou meu colega de banco escolar, condição que eu considerava absurda para um cientista daquele nível.

Numa manhã de maio, assistíamos em cadeiras vizinhas a uma aula sobre os critérios de classificação dos diversos tipos do leite comercializado. Para quem estava interessado numa carreira que levasse assistência médica às áreas mais remotas do país, aquela discussão sobre o número máximo de bactérias por mililitro que o leite poderia conter para ser classificado como A, B ou C pareceu sem sentido. Olhei para o Luiz Rey a meu lado, passando pela mesma amolação depois de tantos anos de carreira universitária, e me aborreci. No intervalo, fui para casa e não voltei mais.

Naquele ano, a Secretaria de Saúde de São Paulo havia criado e regulamentado a carreira de sanitarista, na qual os recém-contratados eram escalados para postos de saúde de pequenos municípios por dois ou três anos antes da transferência para cidades maiores, até se tornarem coordenadores de programas de saúde nos grandes centros regionais. Aos 25 anos, era o que eu procurava.

Fui até a Secretaria de Saúde, no centro da cidade. Quando disse que estava atrás de informações sobre a carreira de sanitarista, uma senhora me encaminhou à sala do chefe de gabinete, um homem de terno marrom e cabelo branco, que pediu desculpas em nome do secretário de Saúde, impossibilitado de me atender por causa de uma reunião na sala ao lado.

Achei estranho: apareço na secretaria sem avisar ninguém e o secretário que não me conhece pede desculpas por não me receber?

Entendi a razão quando o chefe de gabinete revelou estar surpreso com o interesse por saúde pública de um recém-formado pela medicina da USP.

O estado de São Paulo tinha apenas quatro faculdades de medicina (a USP em São Paulo e em Ribeirão Preto, a Escola Paulista e a PUC de Sorocaba), que graduavam cerca de 340 alunos por ano. Esse número reduzido era garantia de trabalho bem remunerado e de ascensão social para todos nós. Numa época em que esquistossomose, doença de Chagas, malária, verminoses, filariose e outras endemias afetavam dezenas de milhões de pessoas no campo, enquanto migrantes se aglomeravam na periferia das cidades sem esgoto nem água encanada, os médicos eram formados para atender os que podiam contratar seus serviços particulares. A sociedade brasileira aceitava com naturalidade que o acesso à saúde das classes mais pobres dependesse exclusivamente da caridade, em instituições como as Santas Casas de Misericórdia.

As informações que recebi do chefe de gabinete sobre a estruturação da carreira me deixaram animado. Finalmente o Estado criava condições para organizar os serviços de assistência médica que um dia deveriam chegar a todos.

Quando me levantei para me despedir, veio a pá de cal: o emprego exigia dedicação exclusiva e oferecia um salário mensal de 1,3 mil cruzeiros, exatamente o valor do aluguel do apartamento para o qual eu tinha acabado de me mudar. A remuneração nem sequer pagaria meu condomínio.

Quando disse ao meu interlocutor que seria impossível viver com tão pouco, ele respondeu que nossa profissão era um sacerdócio para abnegados. Ele mesmo tinha levado uma vida monástica com o salário de servidor público, insuficiente para lhe proporcionar pequenos prazeres: "Quantas vezes fui para casa mortificado por não conseguir levar um disco que gostaria de ouvir!".

Parece que escuto essa frase enquanto escrevo. Mortificado? A inquietude intelectual que me desafiava a buscar caminhos novos era incompatível com a perspectiva de mortificação. Tinha me casado havia poucos meses e ganhava muito bem como professor de cursinho, podia comprar quantos discos quisesse.

Fiquei perdido.

Embora houvesse a opção de voltar para o curso de saúde pública e seguir a carreira universitária, não me interessei. Queria trabalhar como médico num lugar em que minha atuação fizesse diferença na comunidade. Dar aula era o que eu já tinha feito no cursinho desde o primeiro ano da faculdade. Desistir do curso de saúde pública me colocava no pior dos mundos: não me formara sanitarista nem clínico nem cirurgião nem nada. Tanto esforço para acabar frustrado, desorientado na hora de escolher o campo de atividade.

Se não houvesse alternativa senão ganhar o sustento como médico, é provável que eu me atirasse na rotina exaustiva de plantões e noites maldormidas em que meus colegas caíam ao terminar a residência. Entretanto, como tinha a subsistência assegurada, podia me dar ao luxo de procurar outras possibilidades. Talvez psiquiatria fosse uma especialidade interessante, obrigava a invadir outras áreas do conhecimento: psicologia, filosofia, sociologia, antropologia, arte, clínica médica, tudo interessava a ela.

Meu estágio voluntário no Serviço de Psiquiatria do Hospital do Servidor Público Estadual durou seis meses, período suficiente para eu concluir que me faltavam conhecimentos e os atributos mais elementares para lidar com transtornos psiquiátricos.

Perdido outra vez, pelo menos decidi que não faria uma nova tentativa precipitada. Passei mais de um ano afastado da medicina. Ia bem como professor no cursinho que havíamos fundado em 1965.

Depois da última aula da noite, Di Genio e eu íamos jantar ou no Gigetto ou no Giovanni Bruno na companhia dos jornalistas que saíam das redações. Entre eles, os que trabalhavam no hoje extinto *Jornal da Tarde*, que havia revolucionado a linguagem jornalística e a arte gráfica na imprensa paulista dos anos 1960.

Passávamos a noite discutindo os problemas do país. Eram tempos duros, com censura à imprensa, assaltos a bancos, guerrilha urbana, repressão brutal, prisões ilegais, execuções sumárias. Por meio dos jornalistas ficávamos sabendo quem tinha sido preso, sequestrado, torturado ou quem havia desaparecido sem deixar vestígios.

Um dia, fui visitar uma amiga internada no Hospital das Clínicas. Na saída, encontrei por acaso o professor Vicente Amato, um dos primeiros especialistas do país em doenças infectoparasitárias, que, além de professor da USP, chefiava o Serviço de Moléstias Infecciosas do Hospital do Servidor Público Estadual. Quando contei que estava desorientado depois de desistir da carreira de sanitarista, ele foi enfático: "Não tem cabimento, você sabe dar aulas. Vem trabalhar com a gente no Servidor".

Pobreza, desnutrição, endemias

Quando me formei, pacientes com esquistossomose, malária, doença de Chagas, filariose, leishmaniose, tracoma, bócio endêmico, tuberculose vinham dos quatro cantos do país se tratar no Hospital das Clínicas. As verminoses intestinais eram generalizadas, principalmente a ancilostomose, causadora da anemia que a tornou conhecida como amarelão, a doença do Jeca Tatu, personagem imortalizado por Monteiro Lobato no início do século xx.

Ao lado dessas enfermidades crônicas mais prevalentes na população que vivia no campo, sarampo, caxumba, varicela, coqueluche, febre tifoide, rubéola, tétano e difteria se espalhavam entre as crianças.

Na Clínica de Pediatria, havia uma enfermaria para crianças desnutridas, algumas das quais vinham de bairros periféricos tão depauperadas que iam a óbito em poucos dias. Eram magrinhas, olhos fundos, costelas salientes, braços e pernas quase sem músculos, sem forças até para chorar, ao lado dos "desnutridos farináceos", gordinhos, anemiados, com o cabelo tão fino e desbotado como fios de espiga de milho, consequência do déficit proteico de uma dieta restrita a pão e pequenas quantidades de leite engrossado com farinha. Cinquenta anos depois, eu veria crianças com as mesmas características ao gravar um documentário no Líbano, nos campos dos refugiados sírios atendidos por Médicos Sem Fronteiras.

Na Clínica de Moléstias Infecciosas, tínhamos uma enfermaria exclusiva para tratar de tétano neonatal, com bebês infectados por causa da prática de jogar terra ou teia de aranha no coto do cordão umbilical na hora do parto, crendice popular que supunham necessária para estancar o sangramento.

Nos anos 1960, cerca de 40% da população com quinze anos ou mais era de analfabetos. Ignorância, pobreza, alimentação deficiente, falta de acesso a saneamento básico e a inexistência de um programa nacional de imunizações explicavam por que a expectativa de vida ao nascer dos brasileiros mal chegava a cinquenta anos. Quando o século terminou, essa expectativa havia subido para 74. Em 2019, já passava dos 76 anos, número que seria reduzido pela pandemia do Sars-cov-2.

Uma mulher ou homem que conseguisse a proeza de completar 65 anos na década de 1960 viveria em média mais dez. Em 2019, teria ainda dezenove anos de vida pela frente.

Como outros indicadores de saúde, a expectativa de vida ao nascer reflete as profundas desigualdades regionais em nosso país. No fim da primeira década do século xxi, estava ao redor de 71 anos nos estados do Piauí, Maranhão e Roraima, enquanto em Santa Catarina, São Paulo e Espírito Santo era de 79 anos. Na mesma cidade, a expectativa de vida chega a variar uma década, a depender do nível socioeconômico do bairro estudado.

Quando cursei a faculdade, cada brasileira tinha em média seis filhos. As mortes de crianças eram aceitas com resignação. No internato, éramos orientados a perguntar quantos filhos a paciente tivera e quantos havia conseguido criar, dado importante para avaliar suas condições de vida. Não era raro encontrarmos as que haviam dado à luz dez ou doze crianças, das quais apenas cinco ou seis tinham sobrevivido.

Na década de 1960, a mortalidade infantil chegava a 120 óbitos no primeiro ano de vida para cada mil nascimentos. No ano 2000, esse número havia caído para 29 e em 2019 para aproximadamente doze, ou seja, para um décimo do índice daquela década.

As razões que costumam ser citadas para justificar a melhora contínua desses indicadores nos últimos cinquenta ou sessenta anos são vacinas, antibióticos e saneamento básico. As explicações, entretanto, são mais complexas, envolvem também o aumento progressivo da renda familiar e da escolaridade, a redução das taxas de natalidade, o aumento do número de anos das meninas na escola, o acesso a alimentos de qualidade, a pasteurização do leite, as políticas públicas de prevenção, a melhora das condições de moradia, as pressões da sociedade para uma distribuição de renda menos desigual e as mudanças de estilo de vida em todas as classes sociais: lavagem frequente das mãos, redução da prevalência do tabagismo, prática de atividade física, diminuição do consumo de álcool.

Nos últimos 10 mil anos, inventamos a agricultura, as cidades, a luz elétrica e a máquina a vapor, avanços que nos fizeram chegar ao ano de 1900 com uma expectativa média de vida entre trinta e quarenta anos, dependendo do país. Ou seja, pouco maior do que aquela dos gregos, dos persas, dos chineses ou dos que viveram no Império Romano.

Na década de 1960, aproximadamente 60% dos brasileiros moravam na zona rural. O êxodo que ocorreu até os anos 1980 levou 81% dos brasileiros para as cidades até o fim do século xx. O processo de urbanização, que na Europa demorou cem anos para ocorrer, aqui se deu em menos de metade desse tempo.

As cidades não estavam preparadas para absorver tamanho

fluxo migratório. Formaram-se aglomerados nas periferias sem planejamento urbano, água encanada, luz elétrica, transporte público e saneamento básico. Nas aulas, os professores insistiam que, ao levantarmos a história dos pacientes, perguntássemos a distância que separava o poço d'água da fossa de suas residências, porque muitas vezes ela era menor do que os quinze metros recomendados para evitar contaminação subterrânea. Um rapaz da zona leste, operado de uma obstrução intestinal causada pelo verme *Ascaris lumbricoides*, respondeu que na casa dele era de mais ou menos cinco metros. Quando apresentei o caso, o professor perguntou: "Para que ele teve o trabalho de cavar dois buracos?".

Numa madrugada de plantão, vi um homem baixo e magro com uma criança inerte no colo entrar correndo no pronto-socorro do Hospital das Clínicas. Era um menino de três, quatro anos em parada respiratória. De nada adiantou deitá-lo na maca mais próxima e intubá-lo. Tinha sido asfixiado por um novelo de lombrigas que haviam migrado e obstruído a traqueia.

Sem dispor de um sistema de assistência médica que pudesse atrair os recém-formados para o interior, os estudantes logo entendiam a necessidade de se especializar para competir por um nicho no mercado dos grandes centros urbanos.

No fundo, éramos treinados no atendimento de pessoas pobres para ganhar experiência e acesso às de maior poder aquisitivo. A consequência nefasta dessa forma de preparação era a formação de profissionais que tratavam com descaso os classificados como "indigentes", enquanto bajulavam pacientes e familiares mais influentes. De um lado, a postura autoritária, impositiva; de outro, a submissa. As duas faces da mesma moeda.

O curso de medicina era ministrado em período integral. Os dois primeiros anos ficavam restritos às cadeiras básicas: anatomia, fisiologia, bioquímica, biofísica, bioestatística, histologia e genética. Do terceiro ao quinto ano, passávamos pelos departamentos de Clínica Médica, Cirurgia, Ortopedia, Ginecologia, Oftalmologia, Otorrino, Psiquiatria e demais especialidades, com aulas teóricas e práticas ministradas nos ambulatórios e à beira dos leitos do Hospital das Clínicas, o maior centro médico do país. O sexto ano era reservado ao internato, período em que passávamos pelas várias clínicas em sistema de rodízio. Trabalho duro de dia, pior à noite, nos plantões. A residência era facultativa, pois, uma vez diplomados, estávamos autorizados a praticar qualquer especialidade médica.

A separação rígida entre a parte básica e a clínica tornava frustrantes os dois primeiros anos: enfrentávamos o exame vestibular mais concorrido para passarmos o dia no laboratório, sem contato direto com os pacientes.

No primeiro dia de aula, o professor de anatomia falou do respeito que deveríamos ter com os cadáveres que dissecaríamos. Pertenciam a pessoas cujo corpo não tinha sido reclamado por familiares ou amigos, gente que falecera no mais completo abandono e, ainda assim, deixara o bem maior de sua vida para servir ao ensino e à ciência. Pediu que não faltássemos à missa por suas almas, a ser realizada no sábado seguinte.

Entrar numa sala de anatomia com corpos desmembrados em mesas metálicas, ao lado de outros, inteiros, mas parcialmente dissecados, é a primeira experiência chocante a que é submetido o estudante de medicina. O cheiro do formol que faz arder as narinas e os olhos lacrimejar, os azulejos brancos, a naturalidade com que os técnicos retiram braços, pernas e cabeças das tinas de formol, os aventais sujos de gordura, o olhar perturbado que os estudantes procuram disfarçar, tudo contribui para criar o clima de filme de terror classe B.

A aula de anatomia precede as inúmeras situações-limite que o estudante enfrentará ao longo do curso. Dele, o ambiente exigirá demonstrações de racionalidade, destemor ao lidar com corpos doentes ou mutilados, tranquilidade em momentos críticos, presença de espírito para encontrar soluções capazes de aliviar as dores de quem sofre e, sobretudo, sangue-frio mesmo diante das condições mais desfavoráveis.

O risco desse tipo de formação é diplomar médicos pouco empáticos, que constroem barreiras para evitar envolvimento emocional com pacientes e seus familiares. Ouvi de um professor de cirurgia: "Os dramas pessoais dos doentes devem ficar para trás assim que vocês fecharem a porta do consultório".

Os professores que mais admirei, porém, foram justamente aqueles que agiam de maneira oposta a essa. O médico desinteressado dos problemas emocionais, das angústias e das condições familiares e sociais em que vive seu paciente está sujeito a equívocos graves na hora de escolher a conduta mais adequada para aquele caso.

Embora tenha encontrado médicos personalistas, autoritários, vaidosos, que usam a profissão para se aproximar dos donos do poder e ganhar prestígio social, fui aluno de outros capazes de passar dez horas numa sala de cirurgia com um morador de rua, o dia inteiro no ambulatório com uma fila interminável de gente pobre à porta, a noite sem dormir para impedir a morte de um assaltante baleado. A despeito dos maus profissionais, na medicina e na enfermagem encontrei as pessoas mais altruístas que conheci.

Os anos de chumbo

Recebi o diploma em 1967. O Ato Institucional n. 5, arbitrariedade por meio da qual o regime militar endureceu a repressão, veio no ano seguinte.

Na época, São Paulo insistia em seu delírio de grandeza. Centenas de milhares de migrantes chegavam em ondas em busca de trabalho, para fugir da miséria e da fome epidêmica que assolavam os interiores de diversos estados.

No fim da década de 1960, São Paulo chegou a juntar 300 mil novos habitantes por ano. A cidade não estava preparada para abrigar essa multidão que se concentrava caoticamente na periferia.

Paulo Vanzolini, nosso professor de bioestatística no primeiro ano, uma vez me disse que o compositor Adoniran Barbosa, poeta maior da cidade, fizera a descrição mais completa da periferia daquele tempo no samba "Apaga o fogo Mané", composto em 1956:

Inês saiu dizendo que ia comprar um pavio pro lampião.
Pode me esperar Mané, que eu já volto já.
Acendi o fogão, botei água pra esquentar

e fui pro portão só pra ver Inês chegar.
Anoiteceu e ela não voltou.
Fui pra rua feito louco
Pra saber o que aconteceu.
Procurei no hospital,
Procurei na Central e no xadrez
Andei a cidade inteira
e não encontrei Inês.

As consequências dessa pobreza se apresentavam para os internos e residentes do Hospital das Clínicas, sob a forma de doenças infecciosas e parasitárias.

Havia uma enfermaria exclusiva para casos de varíola no Hospital Emílio Ribas, vizinho da faculdade, que visitávamos durante o curso de moléstias infecciosas, ministrado no quarto ano. Ela ficava num casarão à parte, com entrada independente do hospital, anos depois transformado em biblioteca.

Na minha lembrança, a enfermaria dos doentes de varíola era mal iluminada. Devia ter perto de vinte leitos, em que homens de pijama azul passavam o dia deitados sem poder sair no corredor, medida adotada para impedir a transmissão intra-hospitalar do vírus altamente contagioso. Adolescentes, adultos jovens, homens maduros e velhos traziam no rosto as vesículas que deixariam cicatrizes definitivas. Lembro de um senhor com tantas lesões na face que mal conseguia abrir os olhos. Cegueira era uma das complicações da doença. Na varíola major — a apresentação mais grave —, a mortalidade era alta: chegou a 53% no Rio de Janeiro entre 1925 e 1930.

A criação da Campanha Nacional contra a Varíola iniciada em 1962 imunizaria cerca de 23 milhões de brasileiros em quatro anos, colocando o país no caminho da erradicação, feito reconhecido pela Organização Mundial da Saúde em 1971. Em 1980, a varíola se tornaria, finalmente, a primeira doença infecciosa epidêmica a ser varrida da face da Terra pela vacinação. Hoje, os cientistas se dividem em definir o destino das últimas amostras do vírus, conservadas em laboratórios dos Estados Unidos e da Rússia: uma corrente defende que sejam preservadas, enquanto outra propõe sua destruição definitiva. Não sei qual seria a melhor solução.

Na Clínica de Ortopedia estava instalado o setor dos "pulmões de aço", equipamento criado em 1928, nos Estados Unidos, para receber as crianças com poliomielite em que a doença paralisava a musculatura envolvida na respiração. Eram tubos de metal com um pequeno colchão na parte inferior, dentro do qual a criança ficava deitada, só com a cabeça de fora. Em movimentos rítmicos, a máquina retirava e repunha ar no interior do tubo com o objetivo de diminuir a pressão para expandir a caixa torácica e assegurar a entrada de oxigênio nos pulmões, e aumentá-la para obter o efeito contrário.

A criança permanecia deitada de costas, presa, sem se mexer, porque a movimentação podia desprender o colar de borracha ajustado ao redor do pescoço, descontrolar o fluxo de ar e provocar sensação de sufocamento. Depois desse desconforto, a criança percebia que não lhe restava alternativa senão a imobilidade. Passava dias no pulmão de aço até ser capaz de respirar por conta própria ou assim permanecia até a morte por complicações infecciosas.

Numa aula em 1965, enquanto o professor explicava o funcionamento do aparelho, com os alunos em volta, notei que o paciente, um garoto preto com olhos de jabuticaba, que não teria mais de três anos, depois de examinar todos que o cercavam, fixou o olhar em mim. Fiz uma careta, ele riu; fiz outra, ele riu de novo. Resisti um minuto ou dois, depois saí de perto, para o menino não me ver chorar.

Esses aparelhos foram usados no mundo inteiro, até que nos anos 1950 o anestesista dinamarquês Bjørn Ibsen teve a ideia de introduzir um tubo na traqueia dos pacientes, ligado a um balão de borracha no formato de uma bola de futebol americano, que uma equipe de médicos e estudantes, trabalhando em turnos, comprimia e descomprimia para garantir a entrada e a saída de ar dos pulmões do paciente de forma ininterrupta. Esse primeiro respirador artificial daria origem aos ventiladores mecânicos das unidades modernas de terapia intensiva.

No pronto-socorro de Pediatria o movimento era absurdo; às vezes não havia jeito senão acomodar dois bebês num único berço. Com trinta a quarenta crianças numa sala de vinte metros quadrados, a choradeira não dava trégua. Nos horários de pico, quando cismavam de esgoelar-se em coro, dava vontade de fugir daquele inferno.

A figura das mulheres, dia e noite na cadeira ao lado do berço, era comovente. Traziam os filhos febris, envoltos em xales baratos, com história de diarreia e vômitos instalados dias antes, consequência da falta de saneamento básico e de higiene.

Raros os plantões em que não perdíamos duas ou três crianças, às vezes cinco, seis. Era comum estarmos entretidos com um doentinho grave, enquanto outro parava de respirar no leito às nossas costas sem nos darmos conta.

Nas cadeiras ao lado dos berços, as mães suportavam a dor resignadas. O choro da que perdia o filho contagiava as outras ao redor. Quando se calavam, sobrevinha um silêncio que durava horas. A morte de crianças era aceita como uma fatalidade inevitável.

Incrível pensar que em 1964 uma descoberta simples teria enorme impacto na redução daquelas mortes por desidratação: o soro caseiro, solução preparada com uma medida de sal de cozinha e duas medidas de açúcar dissolvidas em duzentos mililitros de água fervida ou filtrada.

Naquele ano, Norbert Hirschhorn, médico americano que prestava serviço militar em Bangladesh, demonstrou que a administração por via oral desse soro evitava a hidratação das crianças por via intravenosa, intervenção que exigia instalações hospitalares. Uma preparação tão fácil de obter levou tempo para ser aceita pelos pediatras como opção segura. Como disse Hirschhorn, "a simplicidade foi sua própria inimiga".

No Brasil, a Pastoral da Criança, que seria fundada em 1983 pela dra. Zilda Arns e por d. Geraldo Agnelo, lançaria quatro anos mais tarde a Campanha do Soro Caseiro, que popularizou a hidratação por via oral e salvou a vida de um número incalculável de crianças.

Num século que viu surgir antibióticos, vacinas, drogas para controlar a pressão arterial e o diabetes, e tecnologias como a tomografia computadorizada, a ressonância magnética e os cateterismos, a revista médica *The Lancet* considerou o soro caseiro "o avanço médico mais importante do século XX". O Unicef, Fundo das Nações Unidas para a Infância, declarou que "nenhuma outra inovação do século XX teve o potencial de evitar tantas mortes num período tão curto e a custo tão baixo".

No pronto-socorro, eu deixava os plantões deprimido, revoltado com a perversidade da ordem social responsável pelo sofrimento anônimo daquelas famílias, em dúvida se os extremistas não estariam certos ao pregar que a única saída para o país seria a revolução.

A sociedade brasileira estava tão polarizada que só eram admitidas duas posições políticas: ou éramos tachados de defensores da ditadura militar, ou comunistas. De nada adiantava dizer que não nos enquadrávamos em nenhuma das duas posições ideológicas, que era possível criticar os abusos dos militares sem ser radical de esquerda nem apoiar a luta armada. Da mesma forma, para a esquerda era sacrilégio admitir qualquer avanço do país sob o comando dos militares.

A divisão rancorosa entre esquerda e direita, praga que ainda hoje nos assola, era utilizada pelos radicais de ambos os lados como justificativa tanto para a brutalidade do aparelho repressor quanto para as ações violentas dos grupos que pregavam a derrubada do regime pela luta armada.

Boanerges

Nos primeiros anos da faculdade, conheci e fui amigo de Boanerges de Souza Massa, personagem inesquecível pela originalidade do nome e pela singularidade de seu destino. Ele cursava o terceiro ano de medicina quando entrei na faculdade, em 1962.

Vinha de uma família humilde do interior de São Paulo, condição que o obrigava a dar aulas em cursinho para se manter na capital, tarefa especialmente árdua, porque Boanerges havia prestado o vestibular e ao mesmo tempo frequentava o curso noturno da faculdade de direito da USP.

No final de uma das aulas na faculdade de medicina, Boanerges deu o seguinte aviso para os colegas: "Estamos no início do quinto ano, o mais calmo do curso. Vamos falar com os professores para nos liberar das aulas por um mês, para viajarmos pela Europa".

Uns riram, outros vaiaram. Ele continuou, enfático: "Estou falando tão sério que comprei um Renault Gordini para rifarmos".

Os colegas levaram na brincadeira, reação natural num tempo em que viajar para a Europa era uma aventura quase tão distante do universo estudantil quanto ir à Lua nos dias de hoje.

Na semana seguinte, ele entrou no anfiteatro ao lado de dois colegas de classe carregando caixas de papelão abarrotadas de blocos com as rifas numeradas para o sorteio do tal Gordini, um sonho dos jovens da época. O sorteio seria realizado dali a três meses.

Boanerges explicou que estava tudo planejado: os recursos obtidos pagariam as passagens aéreas, as estadias nos Albergues da Juventude instalados em diversos países e o aluguel dos carros Renault na França, com os quais os viajantes seguiriam pelas principais cidades europeias. Na volta, devolveriam os veículos em Paris. Só não contou que o tal Gordini ainda não existia, que seria comprado com o dinheiro adquirido com a venda das rifas.

Graças a elas, quase cinquenta alunos de fato viajaram para a Europa, conforme prometido e planejado por uma comissão de colegas chefiada por Boanerges. O mesmo esquema levou mais de sessenta estudantes da minha turma.

Devo à ousadia desse rapaz de inteligência irrequieta a oportunidade de conhecer a Europa dos anos 1960 na companhia de um bando alegre de colegas que cursavam o mesmo ano de medicina que eu. Viajamos por Portugal, Espanha, França, Bélgica, Holanda, Itália, Alemanha, Dinamarca, Suécia e Inglaterra.

Em Londres, tive o privilégio de assistir à final da Copa do Mundo de futebol de 1966, entre as seleções da Inglaterra e da Alemanha, vencida pelos ingleses, que comemoraram o resultado com grande euforia pelas ruas da cidade.

Assim que Boanerges voltou da viagem com sua turma, candidatou-se à presidência do Centro Acadêmico. Como eu era diretor do *Bisturi*, o jornal dos alunos, apoiei a candidatura dele e nos tornamos amigos. Perdemos a eleição, o primeiro de inúmeros fracassos na minha vida de eleitor.

Ele se formou, mas não renegou a vocação para agente de

viagens: inventou de levar os colegas para os Estados Unidos a um preço irrisório. A única obrigação do viajante era, na volta, despachar um televisor recém-lançado que um desconhecido lhe entregaria no check-in do aeroporto de Miami. Ao desembarcar em Congonhas, outro desconhecido apareceria junto à esteira de devolução das malas e levaria o aparelho embora. Não tenho ideia de quantos alunos da nossa e de outras faculdades conheceram os Estados Unidos nessas condições, mas foram muitos.

Diplomados, perdemos o contato. Ninguém mais soube dele. Correu o boato de que estaria fora do Brasil. Cerca de quatro anos depois, ele reapareceu. Dessa vez no cenário de um hospital dirigido por um colega de turma, no Capão Redondo, periferia da zona sul de São Paulo.

De lá, telefonou para outro colega de turma, o cirurgião Antonio Marmo Lucon, ativo até hoje no Hospital Alemão Oswaldo Cruz. No telefonema, Boanerges pediu que Marmo fosse até o hospital com urgência, para operar um amigo dele que estava com um quadro de abdômen agudo.

Ao examinar o paciente, Marmo constatou a presença de marcas de bala na parede abdominal. Tiro no abdômen é emergência que leva o paciente para o centro cirúrgico, sem perda de tempo com a burocracia da internação.

Boanerges se paramentou e entrou na sala de operações com os colegas, para acompanhar a cirurgia, que acabou no meio da madrugada.

Marmo lembra da conversa que os dois tiveram:

"Boanerges, agora nós vamos até a delegacia. Tiro é ocorrência de notificação compulsória."

"Vai sozinho, eu não vou. Vou levar o doente embora."

"Você está louco? Vai levar para onde? Foram várias perfurações intestinais, ele vai morrer."

"A responsabilidade é minha."

O diretor do hospital se opôs:

"Você não vai tirar o doente daqui de jeito nenhum."

Nessa hora, três homens que acompanhavam o paciente e o impasse puxaram revólveres calibre 38, segundo Marmo.

Ao sair com o doente, Boanerges quis saber em que delegacia Marmo lavraria a ocorrência.

"Na única que eu conheço, a do Pátio do Colégio."

"Você vai levar mais ou menos quarenta minutos. Para nós, tudo bem."

Na delegacia, Marmo soube que o paciente provavelmente seria o rapaz ferido num assalto a uma agência bancária no bairro de Pinheiros, ocorrido naquela tarde.

O caso não apareceu nos jornais porque a imprensa estava sob a vigilância de censores que proibiam a publicação de notícias relacionadas com a luta armada.

Cerca de dez dias depois, Marmo e eu conversávamos no prédio dos residentes do hospital, quando ele foi chamado ao telefone da portaria. Era Boanerges perguntando se podia retirar a sonda gástrica do doente.

Só tive notícias dele anos mais tarde, no fim da ditadura. Boanerges tinha feito treinamento em Cuba, para onde viajara a bordo de um avião comercial sequestrado na Argentina. Teria voltado ao Brasil com o grupo do Movimento de Libertação Popular que se instalou no norte de Goiás, região onde foi preso e transferido para Brasília. Lá, foi executado. O paradeiro de seu corpo é desconhecido.

A convocação

No início dos anos 1970, a política estava em toda parte. Nos corredores do cursinho, os alunos queriam saber o que pensávamos sobre a situação do país, falavam de boatos, de estudantes torturados, de assaltos cinematográficos para financiar o movimento armado, além de casos altamente improváveis. Por mais que tentássemos evitar esses temas, não havia como, mesmo porque eles eram recorrentes nas conversas de vários setores da sociedade.

Um dos casos mais comentados era o roubo de um cofre com 2 milhões de dólares em dinheiro — quantia absurda naquela época —, ocorrido na casa da ex-namorada de Adhemar de Barros, ex-governador de São Paulo. Falavam com admiração da ousadia dos assaltantes ao "desapropriar" aquela fortuna subtraída dos cofres públicos.

Havia jovens que demonstravam simpatia pelos que pegavam em armas em nome do ideal de reinstalar a democracia no país. De minha parte, logo entendi que os objetivos da luta armada no Brasil tampouco eram democráticos. A ideia era instalar outra forma de ditadura, a do proletariado, nos moldes da antiga União Soviética, China, Cuba ou Albânia, países que, sob a justificativa de construir o socialismo, aprisionavam os cidadãos no interior de suas fronteiras, sem lhes permitir o exercício das liberdades individuais mais elementares.

Apesar de procurar manter uma posição equidistante dos extremos, a Guerra Fria e os conflitos entre esquerda e direita nos envolviam sem oferecer alternativa.

Um dia, um amigo jornalista que eu sabia pertencer secretamente ao Partido Comunista, agremiação posta na clandestinidade pelo regime militar mesmo sem ter apoiado o levante armado, telefonou para minha casa. Precisava falar comigo com urgência, mas pessoalmente.

Enquanto tomávamos cerveja num bar próximo do cursinho, ele me aconselhou a fugir. Alertava que soubera por uma fonte infiltrada nos meios militares que eu corria o risco de ser preso dali a dias.

Perguntei qual seria a acusação contra alguém sem nenhum contato direto ou indireto com os grupos envolvidos na guerrilha urbana. Ele não sabia, mas insistiu que a informação era autêntica.

Essa é a perversidade dos regimes autoritários, sejam de direita ou esquerda: o cidadão pode ser acusado de tramar contra o poder constituído e ir para a cadeia sem nem saber por quê, sem ter chance de provar a falsidade da acusação.

Passei os dias seguintes angustiado. Fugir para onde? Por quanto tempo? Abandonar a família, as aulas no cursinho, meu ganha-pão? Desaparecer não seria interpretado como uma confissão passiva de culpa?

Demorei até me sentir seguro e concluir que a fonte de informações do meu amigo não era tão fidedigna quanto ele imaginara.

Semanas depois, recebi no cursinho um envelope timbrado com o brasão da República. Era uma intimação para me apresentar em dia e hora marcados nas dependências do Departamento de Ordem Política e Social, o temido Dops, de onde sabíamos que alguns convocados não voltavam.

Fiquei com medo, e não por covardia. Eram dias tenebrosos. Anos mais tarde o jornalista Vladimir Herzog seria torturado e morto ao atender voluntariamente a uma convocação igual à que recebi.

Felizmente, o prazo que me deram para comparecer era de dois ou três dias. Fosse longo, não sei como eu teria resistido à agonia da espera, imaginando as hipóteses prováveis e improváveis do que aconteceria.

Na tarde aguardada com ansiedade e noites de insônia, fui encaminhado para uma salinha onde um funcionário fumava sentado atrás de uma mesa no canto. Mostrei o envelope com a convocação. Ele apontou para uma cadeira sem dizer nada. Perguntei por que tinham me chamado. Ele respondeu que o coronel da sala ao lado me diria.

Sentei e abri o *Memórias póstumas de Brás Cubas*, para fingir descontração. Aguardei por quase três horas, sem coragem de reclamar e sem conseguir prestar atenção nas páginas do livro. Quando a porta da sala ao lado se abriu, fui convidado a entrar.

Parei na frente de um oficial, que me pediu para sentar numa cadeira junto a sua mesa.

"Pois não? O que o senhor deseja?", ele perguntou, para a minha surpresa.

Estendi o envelope timbrado. Ele colocou os óculos, leu os dizeres, abriu um caderno de capa preta, como esses antigos de contabilidade, no qual pude ver uma lista de nomes escritos com tinta azul.

Não sei quanto tempo o oficial levou na leitura dos nomes, mas me pareceram horas. Quando se voltou para mim, tinha um olhar enigmático.

"Você não está na lista."
"Como assim?"
"Não existe nada contra você."
"O senhor sabe por que me convocaram?"
"Provavelmente algum engano."
"Engano?"
"É."
"Então posso ir embora?"
"Claro."

Não lhe apertei a mão em despedida para não lhe dar o gosto de sentir como estava gelada.

O prédio do Dops ficava onde é hoje o museu Estação Pinacoteca. Saí pela avenida Duque de Caxias com passos rápidos, sem me sentir aliviado, porque me ocorreu que aquilo podia ser uma encenação, parte de um plano para me levar sequestrado até um dos esconderijos em que eles torturavam as pessoas, sem que depois pudessem ser responsabilizados pelo desaparecimento da vítima, uma das estratégias empregadas para dar cabo dos investigados.

Enquanto não entrei no táxi, encarei com desconfiança todos os transeuntes que cruzavam comigo. Dentro do carro, olhei tantas vezes para trás que o motorista perguntou se eu estava com algum problema. Paranoia pura. Voltei para casa em segurança.

Nunca mais fui incomodado pela repressão. Imagino que a convocação, as horas na sala de espera, os nomes no caderno preto e as palavras tranquilizadoras daquele oficial foram apenas para me assustar. Conseguiram.

Seu Osvaldo

O clima da enfermaria de moléstias infecciosas do Hospital do Servidor Público Estadual era amigável e de efervescência intelectual. O professor Vicente Amato conseguira reunir um grupo de médicos estudiosos e comprometidos com o atendimento dos pacientes. Fui tão bem recebido que em poucos dias estava integrado.

Todas as tardes, depois de cumprida a rotina com os doentes internados, ficávamos horas na sala dos médicos estudando teoria e discutindo os casos mais graves da enfermaria. Aprendi mais medicina nessa fase do que no internato do Hospital das Clínicas.

Nos Estados Unidos, o ensino da infectologia ocupava o centro de um debate acadêmico que questionava a conveniência de manter departamentos de moléstias infecciosas nas faculdades de medicina. O argumento era o de que saneamento básico, água encanada, medidas de higiene e os novos antibióticos eliminariam as bactérias causadoras de doenças humanas. Em relação aos vírus, o problema seria semelhante, a indústria farmacêutica desenvolveria medicamentos antivirais que dariam ao clínico geral a capacidade de tratar as viroses sem que fosse necessário recorrer a especialistas.

Para que, então, manter departamentos inteiros dedicados a problemas de saúde do passado que a tecnologia se encarregaria de solucionar?

O reconhecimento de que estávamos em plena epidemia silenciosa das hepatites B e C, que se espalhavam pelo mundo, e o surgimento dos primeiros casos de aids no início dos anos 1980 tornariam fora de propósito a continuidade dessa discussão.

Uma tarde, o professor Amato me chamou para sugerir que eu estudasse imunologia, área que ganhava destaque na medicina, impulsionada pelo desenvolvimento das técnicas de transplantes de órgãos, cirurgias de aplicação limitada pela alta incidência de rejeição.

Fiquei agradecido pela sugestão, sem me dar conta de que o rumo de minha carreira acabava de ser traçado.

Fui atrás da literatura. Naquele tempo sem internet, "ir atrás" significava passar horas na biblioteca consultando revistas científicas, tirando (e pagando por) xerox dos artigos escolhidos e encomendando aqueles existentes em publicações que não chegavam ao Brasil.

Passados seis meses, o professor Amato pediu que eu desse uma aula na reunião geral da enfermaria, para contar o que havia aprendido.

Terminada a exposição, o dr. Aloes Bianchi, pediatra excepcional, responsável pelas crianças internadas na clínica, pediu que eu fizesse uma palestra também para o corpo clínico do Hospital A.C. Camargo, principal centro de oncologia de São Paulo, no qual ele chefiava o Serviço de Pediatria.

Quando fiz essa palestra, o diretor do departamento de oncologia clínica do A.C. Camargo me perguntou se eu não poderia ajudá-los a montar ali um serviço de imunologia.

Nas revisões da literatura internacional que eu vinha fazendo, havia achado muito curiosa a experiência de administrar BCG — a vacina da tuberculose — em casos de melanoma maligno, tumor que se instala em nevos da pele e em outras células ricas em melanina.

Respondi que poderia dedicar uma tarde como voluntário, para aplicar testes imunológicos e tratar com BCG alguns casos de melanoma.

O primeiro doente que me encaminharam faleceu dois dias depois. O segundo foi seu Osvaldo, homem de meia-idade e semblante grave, sempre de terno e gravata, que trabalhava como contador num escritório.

Tivera um melanoma maligno no antebraço direito, operado segundo a técnica vigente: retirada da lesão — com margens tão amplas que exigiam enxerto de pele para cobrir a ferida operatória —, acompanhada de esvaziamento axilar, cirurgia em que todos os linfonodos da axila eram retirados em bloco.

A trégua foi curta. Em poucos meses, surgiram dois pequenos nódulos metastáticos no tecido subcutâneo do antebraço, próximos ao local do enxerto, que foram ressecados em nova operação.

Em menos de seis meses, apareceram vários caroços de dois a cinco centímetros no subcutâneo do braço, que se espalharam até a região do músculo deltoide. O dogma da radicalidade cirúrgica era tão incontestável que os cirurgiões propuseram a amputação do membro superior como única possibilidade de cura, uma vez que os melanomas eram tumores resistentes à radioterapia e aos quimioterápicos existentes.

Assustado, seu Osvaldo pediu algum tempo para pensar. Voltou um mês depois ao ambulatório, conformado com a indicação, mas no exame clínico os cirurgiões encontraram dois nódulos sob a pele da região peitoral, achado que tornava sem sentido a cirurgia mutiladora.

Naquela época, na experiência europeia e na americana, as tentativas de tratamento do melanoma por via imunológica eram realizadas com preparações de vários microrganismos atenuados — entre os quais o BCG — injetados diretamente no interior da massa tumoral.

Praticamente todos os países dispunham de preparações injetáveis de BCG liofilizado, porque empregavam essa via de administração na vacinação contra a tuberculose — como mais tarde também faríamos. Até então, Brasil e Canadá adotavam a produção e a imunização das crianças com BCG oral, que tinha como inconveniente a necessidade de a vacina ser mantida em geladeira durante o transporte e o armazenamento.

Expliquei a seu Osvaldo que dependíamos da importação do BCG injetável, processo de duração imprevisível num país que vivia quase isolado do mundo.

Falei com o pessoal do Butantan, responsável pela fabricação do BCG oral, em São Paulo, com alguns colegas do exterior e com o Ministério da Saúde, sem encontrar um caminho para a importação que não enfrentasse os labirintos da burocracia oficial. Ansioso, o paciente voltava ao ambulatório e ouvia que ainda precisávamos aguardar.

Passado um mês, tomei a decisão de tratá-lo com o BCG oral, sem nenhuma evidência científica que justificasse esse caminho. Diante da inexistência de outro tratamento, não julguei sem sentido a tentativa.

Acompanhei seu Osvaldo semanalmente. Ao examiná-lo depois de um mês, senti que os nódulos do braço e da parede torácica estavam quentes. Em duas ou três semanas, tinham ficado avermelhados, mais quentes ainda e com consistência amolecida. Eram os primeiros sinais de uma reação inflamatória, resultante da resposta imunológica contra as células malignas, induzida pela vacina administrada continuamente em três tomadas semanais, sem nenhum efeito colateral, como haviam garantido os velhos tisiologistas de São Paulo, que me orientaram na escolha das doses.

Fiquei excitado, andava com seu Osvaldo pelo hospital para mostrar aos colegas descrentes as lesões em regressão. Nas semanas que se seguiram, fotografei e fiz biópsias sequenciais para documentar no microscópio a rejeição progressiva das tumorações.

Os nódulos diminuíram de tamanho até desaparecer por completo, deixando nos locais manchas brancas idênticas às do vitiligo. A resposta imunológica havia eliminado não apenas as células malignas, mas também a própria melanina da pele normal, da área em que se localizavam.

Não havia descrição na literatura de fenômeno semelhante, associado a estímulo imunológico provocado por um microrganismo administrado à distância, por via oral. O artigo com a descrição desse e de outros casos com regressões tumorais semelhantes seria o primeiro publicado por brasileiros na revista *Cancer*, órgão oficial da American Cancer Society, então a mais importante da especialidade.

As incertezas de que caminho o recém-formado confuso devia seguir na profissão terminaram ali.

A oncologia

O diagnóstico de câncer ainda era uma sentença de morte no início dos anos 1970. Para muitos, a simples menção da palavra atrairia mau presságio; preferiam dizer "aquela doença", "aquele mal". Não havia oncologista que ousasse colocar em seu receituário o nome da especialidade que praticava. Seriam necessárias mais três décadas para que as faculdades de medicina criassem a disciplina de oncologia.

Com a justificativa de que se tratava de uma mentira piedosa, a maioria dos médicos e familiares do paciente negava ao principal interessado o direito de conhecer a natureza do mal que o afligia. Doentes operados de câncer de estômago ouviam que o cirurgião retirara uma úlcera gástrica, câncer de próstata virava prostatite infeccionada, câncer de pulmão se transformava em micose nos brônquios. O máximo que se permitia ao paciente era a informação de que se tratava de um "princípio de câncer" ou de que o exame anatomopatológico da peça operatória revelara "algumas células atípicas".

Com frequência, a família do doente encaminhado para tratamento clínico vinha para a consulta antes dele, com o objetivo de pedir que escondêssemos o diagnóstico verdadeiro. A justificativa era sempre a mesma: ele ficaria tão desesperado ao conhecer a realidade, que poria fim a seus dias antes que a doença se encarregasse de fazê-lo, preocupação que me parecia descabida. Alguém diria vou me matar porque descobri que posso morrer?

A mentira criava problemas incontornáveis. Como explicar para alguém que acabara de ser operado de uma "úlcera no estômago" a necessidade de iniciar quimioterapia, quando o vizinho fizera a mesma cirurgia vinte anos antes sem receber tratamento complementar? Como justificar a indicação de radioterapia na língua de uma pessoa que recebera o diagnóstico de "afta profunda"?

O diagnóstico falso nos deixava diante do dilema: desmentir o cirurgião e os familiares ou compactuar com eles, cientes de que daí em diante seria inevitável mentir outras vezes.

A palavra "quimioterapia", por exemplo, devia ser substituída por "tratamento anti-inflamatório" ou outro nome que não remetesse ao diagnóstico verdadeiro. Efeitos colaterais inevitáveis, como a queda de cabelo, ficavam impossíveis de justificar sem mentir de novo.

A doença, no entanto, tem o dom de apurar a percepção e a sensibilidade daqueles que sofrem dela. Quando fazem perguntas, os doentes mantêm os olhos atentos aos nossos, não lhes passam despercebidas as hesitações, notam quando nos desviamos do assunto ou respondemos com evasivas, percebem o sinal mais discreto de desinteresse, o desconforto com a pergunta e as manifestações sutis de impaciência com a duração da consulta.

Não gosto de me lembrar desses tempos. Ter me empenhado em ajudar muitos pacientes a chegar mais perto da realidade ou dar-lhes confiança para lidar com ela não diminui o remorso que sinto das vezes em que me deixei envolver por essa lógica mentirosa.

Ficávamos enredados numa teia de mal-entendidos que faziam os pacientes perder a confiança em nós no momento em que mais necessitavam dela: quando os tratamentos perdiam a eficácia e o quadro se agravava. Sem acreditar no que lhes diziam médicos, amigos e familiares, sem interlocutor com quem compartilhar suas angústias, o doente vivia a solidão tão bem descrita em *A morte de Ivan Ilitch*, por Liev Tolstói em 1886, nessa obra-prima da literatura russa.

O livro conta a história de um juiz entretido com a carreira que lhe traria prestígio e ascensão social. Um dia, Ivan sofre uma queda que lhe deixa uma dor crônica de intensidade crescente que os médicos não são capazes de diagnosticar nem de acalmar. Quando cai de cama, percebe que a mulher e os filhos se afastam e que os médicos que vão vê-lo respondem às suas indagações com evasivas e tratamentos inúteis. O único a permanecer a seu lado é o criado Gerassim. Na solidão do leito, Ivan avalia suas relações com a família, os amigos e o trabalho, sem encontrar sentido na vida que levara. Enfrenta angustiado a consciência de que o fim se aproxima, sem ter ao lado alguém capaz de entendê-lo e confortá-lo.

É incrível o poder transformador da literatura: um russo escreve um conto que cem anos mais tarde influenciaria um jovem médico do outro lado do mundo, fazendo-o enxergar com mais clareza o impacto nefasto no espírito da pessoa doente quando ela se dá conta de que não pode confiar nas palavras dos que a cercam. E, pior, quando desconfia que todos conhecem e escondem dela um segredo terrível.

A partir dos anos 1980, comecei a explicar aos familiares e aos colegas que me encaminhavam pacientes que não havia como tratá-los sem colocá-los a par da realidade. Ainda que fosse possível e desejável apresentar um quadro que não lhes tirasse a esperança, era fundamental esclarecer a natureza da enfermidade. Sob essa perspectiva, a prática da oncologia ficou mais razoável. Os pacientes passaram a entender melhor o que acontecia com eles, a participar das decisões e da escolha do melhor caminho possível.

Nem sempre acertei, entretanto. Lembro de uma senhora de cabelo branco que foi a meu consultório com a filha e com o resultado de uma biópsia realizada dias antes. O relatório dizia que as características eram de um linfoma não Hodgkin, diagnóstico mencionado por ela. Quando eu lhe disse que era uma doença maligna curável pela quimioterapia, ela, incrédula, me fez repetir duas vezes a palavra "maligna", antes de cair num choro convulsivo que não consegui aplacar, embora eu insistisse em que os linfomas eram neoplasias curáveis.

Essa senhora entrou num quadro depressivo grave que atrasou o início do tratamento e exigiu internação hospitalar para ser controlado.

O desinteresse dos médicos pela oncologia clínica que dava os primeiros passos na década de 1970 era tão generalizado que praticamente não havia para quem encaminhar os pacientes que os cirurgiões operavam.

Comecei a receber tantos pedidos de consulta que precisei alugar uma sala na clínica de dois professores da faculdade. Corria o ano de 1975, e ainda estavam por vir os resultados dos grandes estudos randomizados, controlados, fase 3, que criaram os princípios elementares da oncologia moderna. Os tratamentos preconizados se baseavam na experiência pessoal e no bom senso de cada profissional, decisões sujeitas a inúmeros vieses. Nesse cenário, recebíamos casos conduzidos por colegas que cometiam erros graves, responsáveis por perder a oportunidade do diagnóstico precoce, adiar exames e menosprezar queixas importantes, indicar cirurgias inadequadas e empregar medicamentos inativos ou incapazes de controlar as dores.

Por outro lado, os próprios pacientes eram mal informados. Sangramentos persistentes de tumores retais eram vistos como hemorroidas, conviviam com ulcerações na boca que não cicatrizavam, com pintas e feridas na pele que cresciam e sangravam, sem acreditar que deviam procurar atendimento ou então por falta de acesso aos serviços de saúde. Para agravar, os próprios médicos muitas vezes não identificavam a natureza maligna dessas lesões.

A falta de patologistas preparados para interpretar o material colhido nas biópsias e nas peças operatórias produzia diagnósticos infundados. Tumores benignos vinham rotulados de malignos e vice-versa, carcinomas eram confundidos com linfomas, cirurgiões sem experiência oncológica deixavam para trás margens comprometidas por células tumorais. Erros ocorriam com tanta frequência que não aceitávamos iniciar o tratamento sem antes revisar as lâminas nos microscópios dos patologistas do Hospital do Câncer.

O diagnóstico dependia diretamente dos olhos do patologista. Ainda não havia entrado na rotina a imuno-histoquímica, técnica que revolucionou a anatomia patológica ao empregar um painel de anticorpos específicos dirigidos contra os antígenos existentes nas células malignas, com a finalidade de identificar o órgão de origem, a natureza e as características dos tumores, sem ficar na dependência exclusiva da apresentação histológica.

Às vezes recebíamos um paciente considerado incurável ou com uma data marcada para morrer fixada arbitrariamente pelo cirurgião que o havia operado. Era inimaginável a repercussão entre familiares e amigos quando conseguíamos curar um doente assim condenado. Ou quando mantínhamos vivo por três ou quatro anos um paciente a quem tinham dado no máximo três meses de vida.

Uma vez, recebi no ambulatório do Hospital do Câncer um senhor japonês com mais de oitenta anos, acompanhado da esposa e de duas filhas. Tinham vindo do norte do Paraná, direto da rodoviária, as malas atravancavam a salinha de atendimento.

As filhas me procuraram porque eu havia curado de um tumor cerebral um conterrâneo deles desenganado pelos médicos da cidade. A consulta se devia ao fato de que de uma hora para outra o pai delas tinha esquecido como se falava português, embora vivesse no Brasil havia mais de quarenta anos. O quadro se instalara num almoço em família, depois do qual ele se queixara de tontura e fora deitar. Ao despertar, não falava nem entendia mais português, mas continuava a falar japonês.

Que situação. Eu tinha à minha porta uma fila de pacientes e acompanhantes em pé, à espera, e à minha frente um senhor bilíngue cuja única manifestação era ter perdido a capacidade de falar português. Pensei em encaminhá-lo a um psiquiatra; seria a saída mais simples. Só não o fiz porque valorizei a tontura que o levara para a cama depois do almoço que precedera o esquecimento, porque japoneses não costumam criar dramas desse tipo, e porque tinha sido inaugurado o primeiro aparelho de tomografia computadorizada da cidade.

No mesmo dia, os familiares vieram com a tomografia, que mostrava um foco hemorrágico no lobo temporal esquerdo. Chamei o neurocirurgião, que o operou na manhã seguinte, para retirar o coágulo. Na hora do almoço, subi para ver o doente. Estava acordado, entendia tudo o que eu dizia e respondia num português com pouco sotaque.

O substrato semântico de cada língua caminha por diferentes circuitos de neurônios. Quanto mais longo o intervalo de tempo entre o aprendizado da segunda língua e o da língua-mãe, maior a distância que separa a circuitaria encarregada de cada uma delas. Em situações de estresse, como a provocada por um acidente vascular cerebral ou trauma, a perda da segunda língua é mais frequente por envolver conexões neuronais mais frágeis.

Não demorou muito, minha clínica cresceu tanto que fui obrigado a limitar os dias de atendimento. Entendi que se me deixasse levar pelas demandas dos pacientes particulares não sobraria tempo para o hospital, para atender os que não podiam pagar, para estudar e muito menos para manter interesses culturais. A medicina é uma profissão antes de tudo ciumenta.

A quimioterapia

Um dos horrores da Primeira Guerra Mundial foi o emprego de armas químicas. Espalharam sofrimento e morte indistintamente entre os soldados e a população civil. Talvez a mais cruel delas tenha sido o gás mostarda.

Vinha acondicionado no interior de bombas que, ao explodir, liberavam uma nuvem castanho-amarelada de aparência inofensiva que alcançava os militares nas trincheiras e quem estivesse nas redondezas. Passadas 24 horas, as pessoas começavam a apresentar prurido intenso no corpo todo, olhos irritados, náuseas, vômitos e tosse com sangramento. A depender da quantidade inalada e do tempo de exposição, o soldado podia ficar cego, desenvolver insuficiência respiratória aguda, ulcerações necróticas na pele, perder todo o cabelo, os pelos do corpo e adquirir infecções graves. A morte ocorria nas primeiras seis semanas. Para muitos, era bem-vinda.

Como o gás mostarda exerce uma ação vesicante que queimava a pele ao entrar em contato com ela, nem as máscaras nem as roupas ofereciam proteção. Empregado pelos dois lados em guerra, seus efeitos nocivos foram tão devastadores que ao fim da guerra as grandes potências procuraram chegar a um acordo para bani-lo em futuros conflitos. Todavia, em razão do clima de desconfiança mútua que persistiu nas décadas seguintes, as forças armadas dos países envolvidos não só investiram em pesquisas para criar antídotos que neutralizassem os efeitos do gás mostarda como também mantiveram estoques secretos do gás.

Na Segunda Guerra Mundial, os Estados Unidos enviaram ao porto de Bari, na Itália, o vaso de guerra S.S. *John Harvey* carregado com cem toneladas de gás mostarda, numa ação classificada como "altamente secreta".

Em dezembro de 1943, enquanto o navio americano aguardava na fila para descarregar, a aviação nazista bombardeou o porto, afundando várias embarcações. O S.S. *John Harvey* foi a pique depois de uma enorme explosão que espalhou o gás tóxico. Morreram todos os tripulantes. As mortes ocorridas na cidade de Bari não foram contadas.

Parte das pesquisas secretas para obtenção de antídotos contra o gás foi realizada na Universidade Yale pelo farmacologista Alfred Gilman e pelo médico Louis Goodman, que se detiveram num aspecto da toxicidade já descrito em 1919 e confirmado no desastre de Bari: o efeito sobre a medula óssea, causador de anemia, redução do número de plaquetas e de glóbulos brancos (leucopenia), que predispunha a infecções.

Como nas leucemias e em casos de linfomas ocorre uma multiplicação descontrolada das células brancas, veio a ideia de empregar um derivado do gás, a mostarda nitrogenada, como tentativa de tratamento dessas doenças, na época invariavelmente fatais a curto prazo.

O primeiro paciente que aceitou ser voluntário ficou conhecido na literatura médica pelas iniciais J. D., portador de um linfoma em estágio tão avançado que infiltrava a mandíbula e os linfonodos cervicais e axilares. As condições físicas eram deploráveis, porque os tumores haviam crescido tanto que ele mal podia abrir a boca e movimentar os membros superiores, pressionados pelas massas de linfonodos axilares.

Depois da primeira dose, as lesões experimentaram regressões tão expressivas, que J. D. voltou a se alimentar e a mexer os braços com liberdade. Administrada duas semanas depois, a segunda dose teve efeito semelhante. Na terceira, infelizmente, não houve resposta. O doente faleceu seis meses mais tarde.

Corria o ano de 1942, estava inaugurada a era da quimioterapia do câncer.

Trinta e dois anos mais tarde, quando fui trabalhar no Hospital do Câncer, já dispúnhamos de diversas classes de medicamentos quimioterápicos, com farmacologia razoavelmente estudada e toxicidade conhecida. Inspirada pelos resultados obtidos com a associação de drogas que revolucionara a terapêutica da tuberculose, a ideia de combinar quimioterápicos que agissem nas diferentes fases do ciclo de multiplicação das células malignas despertava interesse em vários centros como estratégia de tratamento das neoplasias avançadas de diversos órgãos e, especialmente, das leucemias e dos linfomas, que passaram a ser encarados como potencialmente curáveis — embora com índices de sucesso incomparáveis aos de agora.

A quimioterapia se tornou uma opção para pacientes com neoplasias avançadas, incuráveis, antes condenados a esperar pelo fim sem possibilidade de interferir na inexorabilidade da evolução. Graças aos quimioterápicos, conseguíamos induzir remissões completas ou parciais de tumores disseminados, com impacto no controle dos sintomas e no aumento da sobrevida.

Entretanto, faltavam os recursos de hoje para dar suporte clínico, reduzir os efeitos indesejáveis das drogas e prevenir e tratar as complicações infecciosas resultantes da queda dos glóbulos brancos. Tratávamos náuseas persistentes e vômitos incoercíveis com antieméticos impotentes para controlá-los, infecções graves com dificuldades laboratoriais para identificar os germes e antibióticos inadequados para combatê-los e não dispúnhamos dos recursos das UTIS modernas. Nos casos mais avançados, a intensidade dos efeitos colaterais muitas vezes nos deixava em dúvida se os medicamentos não provocariam sintomas mais incapacitantes do que os da própria doença. Muitos cirurgiões contraindicavam a quimioterapia, mesmo nos casos em que o benefício era inquestionável. A frase "Não acredito na quimioterapia" era comum entre os médicos, como se a questão fosse de crença religiosa.

Na falta de estudos clínicos que comparassem a eficácia das diversas associações de quimioterápicos, ficava a critério do oncologista escolher o esquema. Drogas sem ação comprovada em determinado tipo de câncer eram eventualmente prescritas, até por profissionais estudiosos. A medicina baseada em evidências científicas ainda estava distante.

Da mesma forma, ganhava adeptos o conceito teórico de quimioterapia adjuvante, que propunha já iniciar o tratamento logo depois da retirada cirúrgica de tumores com risco alto de recidivar nos meses ou anos seguintes. Era muito frustrante cruzar os braços à espera de a doença se tornar incurável para só então tratá-la.

Num caso de câncer de mama, por exemplo, em que a cirurgia fosse capaz de curar apenas 40% dos doentes, fazia sentido administrar quimioterapia nos meses seguintes, por um período limitado, como tentativa de aumentar o índice de cura. Na ausência de dados para comprovar a eficácia dessa adjuvância, no entanto, não podíamos agir às cegas, baseados apenas em intenções, ideias teóricas e no bom senso individual, nem sempre os melhores conselheiros na prática médica.

Na segunda metade dos anos 1960, pesquisadores do National Cancer Institute (NCI), dos Estados Unidos, realizaram os primeiros testes com a associação de quimioterápicos em pacientes com câncer de mama. Os grupos de Vincent DeVita, Paul Carbone e George Canellos desenvolveram uma combinação de três drogas que ficaria conhecida pela sigla CMF (ciclofosfamida, metotrexato e fluorouracila), com boas respostas em câncer de mama metastático. Mas, quando tentaram convencer os maiores centros americanos a planejar ensaios clínicos com a administração de CMF de forma preventiva em pacientes recém-operadas, as respostas foram negativas, sob a alegação de que se tratava de terapêutica com toxicidade inaceitável.

O grupo, então, entrou em contato com o Istituto Nazionale dei Tumori, com sede em Milão, que enviou o oncologista clínico Gianni Bonadonna para avaliar o esquema CMF com os colegas americanos.

O médico italiano causou a seguinte impressão em Vincent DeVita, que o esperava no aeroporto: "Ele vestia um terno marrom de veludo sem um único amassado e calçava o sapato mais bonito que eu já tinha visto. Parecia que tinha dormido em pé".

Nos anos seguintes, em Milão, o grupo de Bonadonna e Umberto Veronesi conduziu o primeiro ensaio clínico com o esquema CMF aplicado logo depois da cirurgia em mulheres com câncer de mama localizado.

Em fevereiro de 1976, o estudo "Combination Chemotherapy as an Adjuvant Treatment in Operable Breast Cancer" foi publicado no *The New England Journal of Medicine*. Nele ficava comprovado que o tratamento adjuvante reduzia o risco de recidiva e aumentava a probabilidade de cura definitiva.

A colaboração científica ítalo-americana levou também ao desenvolvimento de associações de quimioterápicos que transformaram a doença de Hodgkin no mais curável dos linfomas. Foi o embrião dos grandes estudos cooperativos internacionais que transformariam a abordagem terapêutica do câncer nas décadas seguintes.

Projeto Genoma

Em 1989, numa visita ao Memorial Sloan Kettering, em Nova York, li no *New York Times* uma matéria de duas páginas sobre o início de uma grande pesquisa internacional que parecia ficção científica: o Projeto Genoma.

A ideia inspiradora para a realização desse projeto veio de uma publicação de Renato Dulbecco, na qual o cientista ítalo-americano propôs o sequenciamento de todos os genes humanos como a estratégia mais eficaz para chegar à cura do câncer.

Dulbecco se tornara muito influente no mundo científico ao descrever as interações moleculares entre os vírus causadores de tumores malignos e o material genético da célula infectada por eles. Essas pesquisas lhe deram o Nobel de medicina de 1975, compartilhado com David Baltimore e Howard Temin, descobridores da enzima transcriptase reversa.

Anos depois, quando chegou a epidemia de aids, o conhecimento da transcriptase reversa seria essencial para decifrar o mecanismo empregado pelo HIV para incorporar seus genes ao DNA das células infectadas, bem como para o desenvolvimento dos inibidores da transcriptase, drogas como o AZT, utilizadas até hoje no tratamento da doença.

O Projeto Genoma estava planejado para levar quinze anos, ao custo de 1 bilhão de dólares — fortuna correspondente a 2,25 bilhões hoje. A execução ficava a cargo de um consórcio internacional, que contava com a descoberta de novas tecnologias laboratoriais e de processamento de dados, nesse período, já que as existentes até então não dariam conta da empreitada.

Fiquei maravilhado. Entendi que era testemunha de um momento histórico, em que os fenômenos biológicos seriam conhecidos com base nas moléculas responsáveis pelo aparecimento da vida na Terra e pelos mecanismos envolvidos na seleção natural descrita por Charles Darwin e Alfred Wallace.

O projeto foi completado cerca de três anos antes da data prevista. Nos anos seguintes vieram os sequenciamentos dos genomas de outros mamíferos, insetos e plantas de interesse na agricultura. Foi, de fato, uma revolução nas ciências biológicas.

A biologia molecular criou a expectativa de que a cura de muitos tumores malignos estaria a nosso alcance. A palavra "câncer" começou a se livrar do significado trágico de antes.

O investimento americano e europeu em pesquisa básica durante as três últimas décadas do século XX permitiu identificar fatores de crescimento que atuam em receptores na membrana externa das células, dando origem a uma cascata de sinais moleculares transmitidos através do citoplasma, até chegar ao DNA no interior do núcleo, para desencadear o processo de multiplicação descontrolada, característico da transformação maligna (carcinogênese).

Esses conhecimentos criaram a possibilidade de desenvolver moléculas capazes de interromper a transmissão desses sinais e inibir a proliferação das células cancerosas (terapia-alvo). Ao mesmo tempo, surgiram as tecnologias que permitiram a obtenção de quantidades ilimitadas de anticorpos produzidos em laboratório (anticorpos monoclonais), para neutralizar moléculas das quais as células malignas dependem para se multiplicar.

A terapia-alvo e a imunoterapia ganharam a especificidade que faltava nos tempos do BCG.

Tais avanços ofereceram a oportunidade de tratar tumores diferentes com base nas alterações presentes nos genes das células malignas, e não no órgão de origem, como havia sido até o início do século XXI. O mesmo anticorpo pode ter atividade em casos de câncer de pulmão e de melanoma maligno ou em pacientes com câncer de mama e de estômago. A medicina se tornou mais personalizada, como será a do futuro.

Ao divulgar esses avanços em tempo real, a popularização da internet, a partir da década de 1990, impôs novos padrões para a relação entre médico e paciente. O Google se tornou a principal fonte de informação para quem recebe diagnóstico de câncer ou de outra enfermidade. A era do médico senhor absoluto do conhecimento chegou ao fim.

A literatura científica e o número de revistas especializadas cresceram de tal forma que se tornou impossível acompanhar diversas áreas da oncologia. Na segunda metade dos anos 1990, ficou evidente que não haveria espaço para oncologistas gerais, como os da minha geração, treinados para tratar todos os tipos de câncer. Aconteceu com os oncologistas clínicos a mesma necessidade de especialização que ocorrera com os cirurgiões que operavam tumores do aparelho digestivo, do tórax e da cabeça e pescoço, com os quais convivi ao chegar ao Hospital do Câncer.

Nessa época, centralizei minhas atividades clínicas no tratamento do câncer de mama, subespecialidade à qual me dediquei desde então.

Prepotência

Na faculdade de medicina somos treinados para curar, objetivo que vai ao encontro das motivações do estudante ao escolher a profissão. Devolver a saúde a alguém à beira da morte — se possível, em meio a manifestações de reconhecimento de quem foi salvo, de seus familiares e da sociedade — faz parte das fantasias das crianças e de muitos adultos.

No imaginário popular, a arte de curar está ligada a poderes sobrenaturais, geralmente emanados de entidades divinas que grupos religiosos, charlatães e curandeiros de toda espécie sabem explorar para arrebanhar adeptos e impor sua autoridade sobre os crédulos.

No decorrer da carreira vi surgirem curandeiros, benzedores e prestidigitadores que fizeram fama como curadores de câncer, de aids e de outras enfermidades. Invariavelmente, tais indivíduos se dizem dotados de poderes energéticos transcendentais que lhes conferem a capacidade de devolver equilíbrio ao organismo doente. Abusam da ingenuidade alheia para ganhar dinheiro, influência social e poder.

Um dos exemplos mais chocantes foi o do autointitulado João de Deus, hoje condenado a mais de cem anos por crimes sexuais contra centenas de devotas que frequentavam o centro montado por ele no interior de Goiás. Por décadas o lugar atraiu multidões do Brasil inteiro e do exterior.

Políticos, juízes, fazendeiros, industriais, artistas de fama internacional, intelectuais, gente pobre que contraía dívidas para ir vê-lo e até médicos diplomados lotaram as dependências desse centro desde os anos 1970, à procura de milagres que lhes aliviassem o sofrimento causado pelos mais variados males e lhes devolvessem a paz de espírito. Durante décadas, uma cidade inteira viveu do movimento comercial gerado pelo trânsito das pessoas que o curandeiro atraía. Dezenas de pacientes meus viajaram para Goiás em busca da cura operada por um homem que dizia receber o espírito de um médico do além. Duas de minhas pacientes foram agarradas por ele depois de levadas a uma sala especial sob o pretexto de que ali receberiam atendimento personalizado.

A que ponto chega a credulidade humana? E a complacência dos órgãos responsáveis pela fiscalização da medicina, que permitem a charlatães praticar "cirurgias" com bisturis e tesouras sujas, cortar a pele de pessoas em transe incapazes de avaliar o risco que correm?

Doença às vezes incurável, o câncer se presta à divulgação de tratamentos por médicos e outros profissionais que se dizem cientistas perseguidos por terem descoberto a cura de pacientes desenganados. Todos alegam ser vítimas de um complô da indústria farmacêutica e da máfia de branco, que se negam a reconhecer os méritos de suas descobertas revolucionárias por interesse em comercializar medicamentos caros, muito mais lucrativos.

Que esse tipo de argumento convença pessoas mais simples a se tratar com chá de casca de ipê-roxo, água oxigenada para oxigenar as células malignas, bicarbonato de sódio para alcalinizar o sangue, vitaminas para fortalecer a imunidade e infinitas poções obtidas a partir de plantas é compreensível. O que sempre me chocou foram pessoas cultas, muitas vezes destacadas em áreas como literatura, artes plásticas, engenharia, direito ou economia, acreditarem nas teorias absurdas que os curandeiros enunciam para justificar as propriedades curativas de suas intervenções. Muitas vezes brilhantes em seu ramo de atividade, essas pessoas têm algo em comum: são ignorantes em medicina.

O ato de curar envolve um conjunto de medidas: formação médica, vontade de estudar, discernimento para analisar dados científicos, interesse em ajudar seu semelhante e dedicação ao ofício. A motivação para devolver a saúde a alguém pode servir tanto de estímulo para o bom exercício da profissão quanto de esteio para prepotência, narcisismo, autoritarismo, egolatria e demais características indesejáveis ao exercício de uma atividade que exige empatia, respeito à individualidade e humildade para reconhecer as limitações do conhecimento e identificar as escolhas equivocadas.

Uma manhã, ao chegar ao ambulatório do Hospital do Câncer, vi um rapaz bem alto, muito pálido, acocorado no chão, braços cruzados comprimindo o abdômen, ao lado de uma cadeira na qual se achava uma moça de blusa branca e de olhos tão azuis quanto tristes.

Quando perguntei por que ele não se sentava, a moça explicou que aquela era a única posição capaz de acalmar a dor do marido. Aguardavam a chegada do cirurgião que o operara na semana anterior. Levei o casal até minha sala, deitei-o na maca e liguei para o cirurgião, que desceu do centro cirúrgico.

A moça explicou que o marido passara a noite em claro por causa da dor. Depois de palpar o abdômen do paciente, o cirurgião disse em tom ríspido: "A dor está na cabeça dele. Na semana passada eu tirei o tumor do intestino e revisei a cavidade inteira. Não tem nada que justifique essa dor".

Ele se despediu e virou as costas. O rapaz se voltou para mim, resignado: "Se é coisa da minha cabeça, como eu faço para parar de sentir tanta dor?".

Três dias depois, o doente voltou com uma fístula que drenava, por um orifício aberto na pele do abdômen, um líquido escuro que vinha do interior da alça intestinal aberta, no local em que a sutura se desfizera.

Na faculdade, fui aluno de professores voluntariosos que impunham suas condutas aos pacientes sem sequer ouvi-los. Eram os sobreviventes de uma geração autoritária, de poucas palavras, que considerava condescendência exagerada explicar aos doentes a natureza do problema que os afetava. No final da consulta, entregavam uma receita com garranchos que só os velhos farmacêuticos sabiam decifrar e se levantavam da cadeira para deixar evidente que a conversa terminara. Numa aula, escutei de um professor: "Eu me afasto de paciente que não faz o que eu mando".

A atitude dos médicos refletia a ordem patriarcal do Brasil numa época de governos autoritários, em que a sociedade se organizava em torno da figura central do chefe de família, personagem todo-poderoso ao qual esposa e filhos deviam subserviência.

Irmã gêmea da vaidade, a prepotência é filha da insegurança e do despreparo. Imagine quantas sangrias, panaceias, poções de ervas, purgativos e outros remédios e procedimentos inúteis ou perniciosos foram prescritos durante séculos por médicos arrogantes que impuseram condutas baseadas em opiniões pessoais e teorias esdrúxulas que estavam na moda. Por exemplo, considerar que a peste negra era transmitida pelos miasmas exalados dos corpos enfermos, hipótese que obrigava os médicos a usar máscaras de couro, dotadas de uma protuberância em formato de bico, preenchida com tecidos embebidos em perfumes, tão bem representadas nas comédias de Molière.

Levada ao limite, a prepotência pode chegar à onipotência. O médico medíocre, onipotente, é perigoso porque assume responsabilidades e encara situações para as quais não está capacitado sem sequer considerar a possibilidade de que lhe falta preparo técnico. Mas a onipotência pode turvar o juízo também dos mais competentes, capazes de resolver casos complexos em que outros falharam.

Embora não exclusiva da especialidade, a prática da cirurgia é fator de risco para a onipotência porque o ato cirúrgico é, sobretudo, heroico. Com as mãos enluvadas, bisturis, pinças e tesouras, cirurgiões manipulam órgãos internos, retiram tumores, cortam alças do intestino para desviar o trânsito, bloqueiam e desbloqueiam vasos sanguíneos, abrem a calota craniana e operam o cérebro enquanto o paciente dorme, alheio ao que fazem com ele.

Nesse momento, o cirurgião tem poder absoluto. Um pequeno deslize pode matar, uma manobra bem feita pode salvar a vida de alguém. Uma pessoa treinada para essa função precisa de equilíbrio emocional, a fim de não se considerar senhor da vida e da morte. A autoconfiança, no entanto, pode ser útil nas situações extremas que deixam os médicos indecisos.

Certa vez, na enfermaria de cardiologia do Hospital das Clínicas, colocamos no chão um doente em parada cardíaca para massageá-lo com mais eficiência. Enquanto nos alternávamos nessa manobra, chegou um cirurgião de luvas e com um bisturi na mão, pediu que abríssemos espaço, debruçou-se sobre o doente, cravou o bisturi entre as costelas para afastá-las, introduziu a mão direita na cavidade torácica e massageou o coração até voltar a bater por conta própria. Nunca havia imaginado assistir a uma cena tão dramática.

Meses mais tarde, o mesmo cirurgião repetiria o procedimento num doente em parada cardíaca que infartara no pronto-socorro do hospital. Dessa vez, infelizmente, sem sucesso.

Resultados opostos como esses, obtidos pelas mãos da mesma pessoa ao aplicar a mesma técnica ou executar manobra idêntica, são lições de humildade nem sempre aprendidas pelo médico. O prepotente tem memória seletiva, habituada a deletar fracassos.

O fascínio e a admiração do paciente e seus familiares pelo médico que o curou de uma doença grave alimentam a vaidade e a egolatria. Uma senhora de rosto vincado pelo sol do interior do Maranhão procurou o Hospital do Câncer nos anos 1970 com queixa de dores causadas pelo aumento progressivo do volume abdominal havia vários anos. Na cirurgia, foi retirado um tumor uterino benigno que pesou quinze quilos. Na visita ao leito no dia seguinte, eu a vi beijar muitas vezes as mãos do cirurgião, como se estivesse diante de um santo milagroso.

Os melhores médicos que conheci, os mais competentes e respeitados pelos colegas e pelo corpo de enfermagem, foram aqueles atentos às expectativas do paciente, os que se empenharam em colocá-lo a par das dificuldades, dos problemas e das incertezas causadas pela enfermidade.

Nos anos 1980, acompanhei uma consulta no departamento de gastroenterologia de um hospital de Nova York, em que a chefe do serviço de câncer de cólon atendia uma mulher com menos de quarenta anos, de cabelo comprido. Ao lado dela, a irmã que havia acabado de chegar do Texas gravava a conversa. A moça tinha metástases hepáticas de um tumor de cólon recém-operado. A médica leu em voz alta o histórico previamente resumido por uma residente, confirmou com a paciente se os dados estavam corretos, abriu uma gaveta da mesa e retirou duas pastas que entregou a ela: "Aqui no hospital temos dois protocolos de quimioterapia em estudo para metástases hepáticas como no seu caso.

Leve para casa, leia com atenção e volte na próxima semana para dizer em qual deles prefere ser incluída".

Com um protocolo em cada mão, a moça perguntou em qual deles seriam maiores as chances de controlar as lesões. A resposta não a ajudou: "Não sabemos. É por isso que fazemos ensaios clínicos comparativos".

Como aquela mulher poderia tomar uma decisão tão complexa? O que aconteceria com ela, sozinha na cidade, quando a irmã voltasse para o Texas?

Eu ainda não conhecia os meandros da relação médico-paciente nos Estados Unidos, contaminadas pela possibilidade de processos por má prática que colocam os médicos na defensiva como forma de evitar problemas legais, principalmente quando as consultas são gravadas.

Hoje costumo dizer aos estudantes que o papel do médico deve se assemelhar ao do arquiteto que, antes de projetar uma casa, ouve as necessidades e os desejos de quem vai morar nela. Na medicina moderna, a função do profissional é reconhecer as manifestações da doença naquela pessoa, explicar-lhe as características, as opções de tratamento, as vantagens e os riscos de cada uma, as principais evidências científicas ou a falta delas, as dúvidas e as consequências das escolhas, antes de decidirem juntos o melhor caminho, que pode não ser aquele preferido pelo médico.

No entanto, como conciliar essas intenções com as limitações de tempo impostas pela organização do trabalho em ambulatórios lotados e em unidades de pronto atendimento com doentes mal acomodados nas macas do corredor?

Atender quatro ou cinco pacientes por hora, como às vezes acontece, cria atrito constante entre os profissionais e os gestores da saúde pública e dos planos de saúde, deixa os pacientes frustrados e os médicos tensos e inconformados com o trabalho malfeito ou então os transforma em cínicos que compactuam com a ordem criada.

Não entendo como esses gestores ainda não perceberam que o médico sobrecarregado, sem tempo para ouvir o paciente, é o que mais pede exames desnecessários, que aumentarão os custos da assistência médica.

Ainda vivi o tempo em que os mais velhos se queixavam do desaparecimento da figura do médico de família, personagem que visitava os doentes em casa, tomava chá com bolo na sala de visitas, ouvia os problemas e dava conselhos aos familiares. Eu costumava responder que devia ter sido ótimo para quem teve acesso a eles; não foi o caso da minha nem da família das crianças que jogaram bola comigo no Brás.

O direito universal à saúde, que só seria garantido pela Constituição de 1988, criou um desafio gigantesco: organizar o SUS, um sistema único de saúde que atendesse a todos os brasileiros. Sua criação modificou as características da prática médica e a forma de exercer a profissão.

O SUS

Minha geração teve o privilégio de assistir à maior revolução da história da medicina brasileira: a criação do SUS. É pouco provável que ocorra outra com tamanho alcance social, uma vez que o SUS se tornou o maior programa de saúde pública do mundo e de distribuição de renda no país.

Antes do SUS, a assistência médica estava restrita ao Inamps (Instituto Nacional de Assistência Médica da Previdência Social), criado em 1977 pelo governo militar para dar o direito de assistência médica aos contribuintes do INPS (Instituto Nacional de Previdência Social), portanto aos que trabalhavam com carteira assinada. O Inamps dispunha de rede própria, mas insuficiente. A maior parte dos atendimentos era prestada pela medicina privada, estrutura que facilitava os sucessivos desvios de recursos financeiros que a censura à imprensa proibia de divulgar.

O sistema era excludente, deixava de fora os trabalhadores do campo e os que ganhavam a vida na informalidade, contingente que compreendia a maior parte da força de trabalho. Enquanto os mais ricos tinham acesso aos recursos da Saúde e da Previdência, os demais eram classificados como cidadãos de segunda classe que dependiam dos poucos serviços municipais, dos hospitais universitários ou da caridade pública oferecida por instituições assistencialistas.

Nos hospitais, não era raro os prontuários médicos trazerem carimbado na contracapa: "Indigente". Além de colocar o cidadão numa categoria humilhante, a classificação deixava claro o caráter caritativo do atendimento. Cientes da posição que lhes era reservada, os pacientes se comportavam com humildade, cuidadosos com palavras e atitudes que pudessem ser consideradas mal-educadas ou ofensivas pelos profissionais, do porteiro do hospital ao médico.

No Hospital do Câncer, os pacientes encaminhados por colegas do interior traziam relatórios médicos com uma descrição do caso invariavelmente antecedida por apelos como "Ao nosso espírito cristão e aos nossos mais elevados ideais humanitários", para que atendêssemos aquela pessoa trabalhadora, mãe ou pai de família exemplar, que se achava numa situação "desesperadora".

O descaso do sistema com os pacientes era visível por toda parte. Enfermarias com seis, oito leitos e apenas um banheiro, ambulatórios com salas de espera lotadas, sem cadeiras para todos. Os pacientes eram convocados para chegar às sete da manhã, horário que os obrigava a sair de madrugada de suas casas na periferia. Até serem atendidos, podiam aguardar quatro ou cinco horas, muitas vezes em pé, sem sair do lugar para não correr o risco de perder a chamada, imprudência que os levaria ao fim da fila.

Éramos treinados sem ouvir uma palavra sobre os direitos dos pacientes que atenderíamos. No pronto-socorro, havia assistentes que levantavam a voz ao falar com eles, os homens tratados indistintamente de seu Zé, as mulheres de d. Maria.

No quarto ano da faculdade, passávamos visita na enfermaria de clínica médica com o professor e um grupo de dez alunos, em volta do leito de um senhor de barba branca por fazer, magro e anêmico, quando um médico mais velho, que trabalhava no Serviço de Hematologia, abriu espaço entre nós para se aproximar da cabeceira. Desabotoou o pijama do doente, abriu uma maleta, pegou algodão e mertiolato, desinfetou a pele da parte superior do tórax, retirou de um estojo metálico uma seringa com agulha grossa e, sem dizer nada, enterrou-a no esterno para colher o mielograma do homem assustado, exame que permite analisar as células presentes na medula óssea. Terminada a coleta, saiu sem se dar ao trabalho de abotoar o pijama do doente ou de trocar uma palavra com ele.

Nessa época, ganharam força na academia e no movimento universitário as ideias de uma reforma sanitária que permitisse ampliar o acesso da população aos cuidados médicos.

Ao longo dos anos 1980, mudanças no Inamps introduzidas na gestão de Hésio Cordeiro deram início às Ações Integradas em Saúde, por meio das quais foram assinados convênios com estados e prefeituras para a instalação de postos de saúde, unidades consideradas o berço do que seria a Atenção Básica atual.

Diversas medidas para universalizar a assistência, adotadas pelo Inamps, levaram à implantação do Suds, o Sistema Único Descentralizado de Saúde.

Finalmente, depois de várias conferências preparatórias, realizadas em todos os estados, aconteceu a VIII Conferência Nacional de Saúde em março de 1986, a primeira com a participação da sociedade. Sob a liderança de Sérgio Arouca, um jovem sanitarista carismático que presidiu a Fiocruz, o relatório final concluiu que as mudanças necessárias para melhorar e democratizar o sistema não dependeriam apenas de reformas administrativas, mas de uma ampliação do conceito de saúde.

Estavam lançados os fundamentos do sistema público que seria incorporado à Constituição de 1988. Saúde passava a ser um direito do cidadão.

A implantação do SUS foi gradual, a partir do Suds. Em 1993 o Inamps foi extinto. Estava instalado o primeiro sistema universal de saúde num país com mais de 100 milhões de habitantes.

Desde então, o sistema único tem enfrentado inúmeras dificuldades: financiamento insuficiente que, em vez de repor, aumenta as perdas ano a ano, interferência de políticos populistas, corrupção, gestão incompetente, desorganização, desperdícios de recursos e falta de coordenação. Para completar, o Brasil se ressente de uma política pública de saúde.

Como implantá-la, se entre 2008 e 2018 tivemos treze ministros da Saúde que permaneceram no cargo por dez meses em média? E se de 2019 a 2021, em plena pandemia de covid, foram quatro, um dos quais confessou não fazer ideia do que era o SUS porque sempre se tratara em hospitais militares?

A escolha de ministros, que deveria obedecer a critérios de competência administrativa e conhecimentos técnicos, é feita com base em relações de compadrio ou de acertos políticos, em troca de apoio parlamentar, distorções que se repetem nas esferas estadual e municipal.

No meio dessas adversidades, é incrível que o sistema único tenha conseguido realizar tanto em tão pouco tempo. Para citar apenas alguns exemplos: o Programa Nacional de Imunizações, o de transplantes de órgãos e de hemodiálises são os maiores programas gratuitos do mundo nessas áreas. O programa de distribuição universal de antirretrovirais, que reduziu a velocidade de propagação da epidemia brasileira e revolucionou o tratamento das pessoas que convivem com o HIV, serviu de exemplo para intervenções semelhantes nos países mais pobres da África e da Ásia. Por meio dos hemocentros, criamos um sistema de distribuição segura de sangue e derivados, prescritos em qualquer canto do país. O Resgate disponibiliza equipes de socorristas nas cidades mais populosas, de norte a sul do país.

A desigualdade social, no entanto, impõe grandes dificuldades. Por exemplo, o Brasil dispõe de quase 500 mil leitos hospitalares, dois terços dos quais pertencem ao SUS e um terço à saúde suplementar. Como a OMS considera ideal existirem três leitos para cada mil habitantes, a desproporção fica evidente: o SUS conta com dois leitos para mil habitantes, contra 3,5 disponíveis nos planos de saúde.

O SUS investe cerca de 250 bilhões de reais por ano para assistir cerca de 175 milhões de brasileiros que dependem exclusivamente dele, enquanto a saúde suplementar dispõe de 200 bilhões de reais para atender cerca de 45 milhões de usuários.

Com a mudança do perfil epidemiológico da população que envelhece e com o encarecimento dos custos hospitalares pela incorporação da tecnologia, esperar passivamente as pessoas adoecerem para só então tratá-las não faz o menor sentido. Em qualquer país, a única alternativa da assistência médica moderna é investir na atenção primária para reduzir a demanda por tratamentos e procedimentos que custam fortunas. Nessa área, o Brasil tem um dos programas mais elogiados do mundo: o Estratégia Saúde da Família (ESF).

Estratégia Saúde da Família

As primeiras discussões sobre a necessidade de programas de atenção básica surgiram no Reino Unido ainda na década de 1920. Elas deram origem ao Relatório Dawson, que propunha organizar os serviços de saúde em níveis que envolviam serviços prestados em domicílio, centros de saúde e serviços suplementares.

O documento serviu de base para a criação, no Brasil, das nossas Redes de Atenção à Saúde, cujos elementos essenciais eram: educação em saúde, saneamento básico, atenção materno-infantil, tratamento de doenças, provisão de medicamentos essenciais, promoção de alimentação saudável e valorização de práticas complementares.

Em 1978, a OMS e o Unicef organizaram uma conferência internacional em Alma-Ata, no Cazaquistão, cujo tema foi a atenção primária à saúde. Nela foi estabelecido o conceito de saúde como expressão de um direito humano.

A origem da atenção básica ou primária no Brasil é anterior à do SUS. Começou cem anos atrás, com os primeiros centros de saúde criados pela Universidade de São Paulo. No início dos anos

1940, surgiram os Serviços Especiais de Saúde Pública (Sesp), que desempenharam papel importante no combate às endemias rurais.

Em 1989, o governo do Ceará iniciou o Programa dos Agentes de Saúde, que passou a contar com médicos, enfermeiras e agentes de saúde arregimentados nas comunidades em que atuavam. Foi o embrião do Programa Saúde da Família (PSF), criado em 1994, precursor do atual Estratégia Saúde da Família (ESF).

Em 2017, o ESF já contava com mais de 42 mil equipes e 43 mil unidades básicas de saúde (UBS) construídas para lhes dar apoio. Cada equipe é formada por até doze agentes de saúde, uma auxiliar de enfermagem, uma enfermeira, um médico, um dentista ou técnico em saúde bucal.

Um agente de saúde fica responsável por visitar de casa em casa até o máximo de 750 pessoas da comunidade sob sua jurisdição. Temos no ESF 265 mil agentes de saúde, contingente numericamente superior ao de soldados nas Forças Armadas.

No total, cada equipe atende em média cerca de 3,5 mil pessoas (no máximo 4 mil). Elas chegam à casa de 154 milhões de brasileiros. Se excluirmos os usuários da saúde suplementar, que não dependem delas — pelo menos teoricamente —, concluímos que os inscritos no ESF, somados à população coberta por outros setores da atenção primária, correspondem a 95% dos que dependem exclusivamente do SUS.

Estão envolvidos na atenção primária mais de 700 mil profissionais.

A experiência de atendimento médico em cadeias me ensinou a considerar a atenção primária a área mais importante da saúde pública. Sem dispor de exames laboratoriais nem de um simples raio X, as consultas encontram uma dificuldade a mais: como encaminhar doentes para os hospitais.

As transferências para os hospitais públicos dependem da requisição de escolta armada, quase nunca disponível. Quando finalmente a conseguimos, o doente que chega algemado ao pronto atendimento se vê diante de dois problemas antagônicos: os policiais pedem para que o atendimento seja rápido, a fim de evitar sequestros e de voltarem logo ao trabalho, enquanto os que esperam na fila há horas se revoltam contra "o bandido que quer passar na frente".

Na prática, tento resolver o maior número de casos sem recorrer aos hospitais. Posso afirmar que é possível solucionar de 80% a 90% deles numa cela de seis metros quadrados, apenas com uma cesta básica de medicamentos, sem nenhum equipamento além do estetoscópio. E eu me considero um clínico geral mediano, muito menos preparado do que na área da oncologia, minha especialidade.

Esse número está em concordância com a literatura nacional e internacional. Uma atenção primária efetiva é capaz de resolver a maioria dos casos: de 90% a 95% em países europeus, 87% na Secretaria Municipal de Saúde de Florianópolis (sc), 91% no Grupo Hospitalar Conceição de Porto Alegre (rs), 95% em Toledo (pr). Cada vez que a cobertura do ESF é oferecida a mais 10% da população, a mortalidade no primeiro ano de vida cai 4,5%.

A atenção primária brasileira é a mais extensiva do mundo, é a joia da coroa do sus. Sobre ela escreveu em 2020 o *British Medical Journal*, uma das publicações mais conceituadas da literatura médica: "O Programa Saúde da Família é provavelmente o exemplo mundial mais impressionante de um sistema de atenção primária integral de rápida expansão e bom custo/efetividade".

E prossegue: "Os formuladores de políticas de saúde do Reino Unido têm histórico de observar os Estados Unidos na busca de inovação e prestação de cuidados básicos de saúde, apesar de seus resultados relativamente fracos e custos altos. Poderiam aprender muito se voltassem seus olhares para o Brasil".

Duvido que nos próximos cem anos a medicina brasileira passe por uma revolução que chegue aos pés da criação do sus.

Os convênios

"Quer uma carona?", perguntou meu professor de clínica médica no ponto de ônibus onde eu estava, em frente da faculdade. Aceitei de bom grado, pois chovia, e poucos minutos antes havia passado um ônibus tão lotado que eu não conseguira entrar.

Estávamos em 1965. No caminho ele falou dos sacrifícios pessoais e dos problemas financeiros que a prática da medicina impunha à vida dos médicos, palavras que o quartanista ouviu com atenção.

Dessa conversa guardei uma advertência: "Começam a surgir esses convênios de assistência médica. É o fim da medicina liberal; os médicos da sua geração serão empregados desses empresários".

Na origem dos planos de saúde no Brasil há um imigrante polonês, levado ao Paraná por sua família em fuga do Holocausto: Juljan Czapski. Diplomado pela faculdade de medicina da USP, Juljan foi contratado pela Ultragaz, uma das maiores companhias do setor, de onde saiu depois de uma greve que provocou a extinção do departamento de saúde da empresa.

Em 1956, desempregado, Juljan teve a ideia de criar em São

Paulo a Policlínica Central, que se propunha a prestar serviços médicos a várias empresas, com o intuito de reduzir custos e dar agilidade ao atendimento. Em pouco tempo estavam filiadas à Policlínica: Volkswagen, Alcan, Chrysler e Brinquedos Estrela, entre outras indústrias. Foi o primeiro plano privado de saúde no país.

Ainda na década de 1950, algumas empresas públicas começaram a usar recursos próprios e dos funcionários para financiar a assistência à saúde.

Com a ajuda de subsídios governamentais, o mercado dos planos cresceu em São Paulo e se expandiu por vários estados sem nenhum tipo de regulação oficial. Eram comuns as negativas de atendimento, a exclusão de cirurgias complexas e de doenças como câncer, a seleção de clientes com risco mais baixo de adoecer, as rescisões unilaterais de contratos e os reajustes descontrolados de mensalidades.

Nós, oncologistas, passávamos pela frustração de receber um paciente com suspeita de neoplasia maligna, submetê-lo aos exames necessários, confirmar o diagnóstico, indicar o tratamento e ter que encaminhá-lo para a fila de espera dos hospitais públicos, sobrecarregados de casos semelhantes. Numa doença inclemente, muitas vezes a demora tirava a chance de cura.

Esse mercado só começou a obedecer a regras bem definidas a partir do ano 2000, com a criação da Agência Nacional de Saúde Suplementar (ANS).

Com o surgimento do SUS em 1988, o Brasil passou a contar com um sistema de saúde híbrido: de um lado o SUS, universal, gratuito; de outro, a saúde suplementar, para atender os que haviam assinado contratos individuais ou coletivos com as operadoras de saúde.

Preparados para exercer a medicina com clientes particulares atendidos em consultórios e em hospitais privados, meus colegas tentaram resistir aos convênios. Naquele tempo, trabalhar para eles significava aceitar pagamentos baixos e admitir que a clínica particular era pequena ou inexistente, sinônimo de fracasso para quem imaginava viver de uma profissão liberal.

A partir dos anos 1970, o número de médicos que entraram no mercado de trabalho aumentou muito mais que a demanda de clientes com condições financeiras para arcar com custos de exames, cirurgias e tratamentos cada vez mais dispendiosos. Como previra meu professor, para a maioria dos médicos não houve alternativa senão aderir ao corpo clínico dos convênios e enfrentar o desafio de manter os consultórios aumentando o número de pacientes atendidos.

As operadoras absorveram de bom grado profissionais dispostos a trabalhar por salários baixos, sem se dar conta ou se importar com o fato de que o médico mal pago faz consultas-relâmpago nas quais pede exames em demasia, única forma de deixar aos pacientes a impressão de que foram bem atendidos. Tomografias computadorizadas, ultrassons, ressonâncias magnéticas, cintilografias e uma infinidade de exames laboratoriais entraram na rotina diária, elevando os gastos em prejuízo da propedêutica, do exame físico e da avaliação cuidadosa de sinais e sintomas.

As operadoras, no entanto, empenhavam-se em retardar o pagamento dos serviços prestados a seus associados, para que assim a inflação diluísse os custos. O país convivia com o fantasma da hiperinflação, com índices que chegavam a 80% ao mês; uma conta de cem em dois ou três meses se transformava numa quantia irrisória.

Essa foi a estratégia implantada: receber em dia as mensalidades dos clientes e pagar com sessenta ou noventa dias de atraso os serviços prestados pelos médicos, hospitais, laboratórios clínicos e clínicas de radiologia. Lembro de colegas que nem se davam mais ao trabalho de se deslocar na cidade para receber os cheques de consultas e cirurgias realizadas dois meses antes, tão desvalorizados estavam. Ao aplicar no mercado financeiro o dinheiro que recebiam todos os meses, enquanto adiavam os pagamentos aos prestadores de serviços, os proprietários das operadoras fizeram fortunas. Alguns entraram na lista das pessoas mais ricas do país.

O controle da inflação obtido pelo Plano Real acabou com a festa. A lucratividade passou a depender da adoção de critérios rígidos de administração empresarial. Sem contar com os recursos auferidos no mercado financeiro, as margens de lucro minguaram, porque as empresas começaram a ter muita dificuldade para repassar aos conveniados a inflação gerada pelo desperdício de exames, diagnósticos tardios e pelas novas tecnologias incorporadas à prática médica. Hoje, boa parte das operadoras trabalha com margens de 2% a 3%, lucratividade semelhante à das companhias aéreas, setor com falências que se sucedem.

A adoção do modelo de remuneração que ficou conhecido como "*fee for service*", segundo o qual o usuário do plano de saúde pode consultar quantas vezes quiser qualquer médico do convênio, encarece o sistema sem melhorar a qualidade dos serviços prestados. Quanto mais especialistas são procurados, maior o gasto com exames.

Esse modelo levou também à chamada "cultura de pronto-socorro", que consiste em correr para as unidades de pronto atendimento para resolver problemas que não requerem urgência.

A pediatria é um bom exemplo. Anos atrás, mãe nenhuma levava o filho ao pronto-socorro por causa de um problema banal. Hoje, muitos pais o fazem ao primeiro sinal de febre. O plantonista, que nunca viu a criança, inseguro de mandá-la de volta para ser tratada em casa, solicita exames de sangue e, às vezes, raio X de tórax ou outras imagens. Dispensar a criança sem pedir exames pode lhe trazer problemas sérios: febre é sintoma inicial de inúmeras patologias. E se for a apresentação inicial de septicemia ou meningite? Mais tarde, dirão que o médico deu alta para uma criança que acabou internada em estado grave?

Conclusão: uma simples virose expõe a criança ao ambiente hospitalar, à radiação, à coleta de sangue e à espera pelos resultados. Sai caro para a fonte pagadora atender um doente que era tratado pelas avós com gotas de dipirona e canja de galinha.

A mesma cultura contaminou as demais faixas etárias. Meses atrás fiz uma palestra numa empresa de tecnologia. No final, a diretora do departamento de recursos humanos comentou que os atendimentos de urgência representavam parte substancial das despesas com saúde. Estranhei, pois todos me pareceram muito jovens. Perguntei a média de idade deles: 28 anos.

Outro inconveniente desse modelo é que os prestadores de serviços ficam estimulados a realizar exames e procedimentos. Quanto mais exames, internações, diárias em UTIs e procedimentos cirúrgicos, maior a lucratividade dos hospitais, laboratórios clínicos e clínicas de radiologia.

Para agravar, nós, médicos, não recebemos nenhuma formação na área da farmacoeconomia. Muitas vezes prescrevemos medicamentos caríssimos sem ter ideia de quanto custam. O mesmo ocorre com exames de sangue, imagens e estadias em hospitais.

Por outro lado, os usuários dos planos de saúde ficam com a impressão de que as contas a pagar não lhes dizem respeito. Ao pedir um simples hemograma, canso de ouvir a frase: "Doutor, já que vou colher sangue, aproveita para pedir todos os exames". Na penitenciária, mulheres com queixas típicas de enxaqueca me pedem para fazer ressonância magnética cerebral, exame inútil nesse caso. Nem todos entendem que o desperdício vai se refletir nas mensalidades cobradas dos próprios usuários, da mesma forma que a água esbanjada no meu chuveiro encarece o valor do condomínio que sou obrigado a pagar.

A explosão de faculdades de medicina ocorrida a partir do

ano 2000 tem jogado no mercado um grande número de profissionais despreparados que se dispõem a aceitar as condições impostas pelas operadoras. A maior oferta de mão de obra nos grandes centros e os baixos níveis de crescimento econômico do país, causadores do empobrecimento da população, abriram espaço para o lançamento de planos com mensalidades baixas, mas que se limitam a realizar os procedimentos mais simples, deixando os mais complexos a cargo do SUS.

A saúde suplementar vive uma crise que lhe impõe a necessidade de mudanças urgentes, sob pena de inviabilizá-la. Não faz sentido existir um sistema que só tem contato com o usuário na hora de pagar a conta do atendimento. A única alternativa para a sobrevivência é o investimento na atenção primária. É muito mais razoável criar programas de controle da hipertensão ou de diabetes, para reduzir o risco de doenças cardiovasculares, do que arcar com os custos das internações por infarto do miocárdio ou acidentes vasculares cerebrais.

Esse modelo perdulário fez com que a assistência médica ficasse tão cara que hoje ocupa o segundo lugar nos gastos das empresas, atrás apenas da folha salarial. Nos últimos anos, algumas operadoras começaram a acordar para essa necessidade. Os resultados preliminares parecem ser interessantes.

O uso racional dos recursos poderá corrigir as distorções que causam tantos dissabores: demora para autorizar procedimentos, atendimento por médicos desmotivados, falta de acesso a exames e medicamentos necessários, judicialização exagerada e tantos outros problemas.

Na União Soviética

A medicina na União Soviética era um mistério nos anos 1980. Como eles não publicavam nas revistas internacionais, os estudos realizados no país eram inacessíveis aos que não falavam russo nem conheciam o alfabeto cirílico.

Fica difícil explicar para quem não viveu a realidade da Guerra Fria a inexistência de informações sobre o que se passava do lado de lá da Cortina de Ferro, linha imaginária que separava a Europa ocidental dos países sob o domínio soviético.

Eu tinha muita curiosidade de conhecer a medicina russa. Se os Estados Unidos haviam feito tantas descobertas nas ciências biológicas, parecia improvável que seus rivais, em disputa permanente pela liderança mundial, não tivessem conhecimentos médicos avançados, inacessíveis a nós. Conseguir um estágio num hospital de um país fechado como aquele, no entanto, estava fora de cogitação.

A oportunidade apareceu em 1986, por ocasião de um congresso internacional de oncologia que aconteceria na cidade de Budapeste. Meses antes eu havia encontrado o presidente da Sociedade Brasileira de Cancerologia numa conferência e sugerido a ele que a sociedade propusesse à embaixada soviética uma visita oficial pré-congresso a um grupo de oncologistas brasileiros. Semanas depois ele me telefonou, confirmando a aprovação de um estágio de três semanas no Instituto Nacional do Câncer em Moscou, orgulho da medicina russa, construído, conforme apregoavam, com a doação do salário de um dia de todos os trabalhadores da União Soviética.

Éramos cerca de vinte oncologistas brasileiros ao chegarmos ao aeroporto de Moscou. Na alfândega, o clima era de filme de espionagem. Fomos cercados por um batalhão de soldados do Exército soviético, que revistaram detidamente todas as bagagens. Um deles folheou página por página uma revista de variedades que eu havia comprado na escala em Copenhague, virou de costas e saiu com ela por uma porta nos fundos. Pronto, pensei, vai dar problema. Maldisse a ideia estúpida de ter levado uma revista ocidental para um país comunista.

Não sei quanto tempo esperei, mas quando o soldado voltou eu já estava sozinho na sala. Dias depois, eu notaria a falta das páginas centrais da revista, justamente as que traziam fotos de um show com bailarinas de seios à mostra.

Enquanto aguardávamos o check-in na recepção do hotel, o saguão foi invadido por um grupo de mulheres com vestidos no estilo dos bailes de debutantes dos anos 1950, batom vermelho rutilante, cílios postiços, maquiagem rebocada e olhares lânguidos. Uma delas sorriu para mim e disse numa língua que parecia inglês: *"Come to the bar, I pay you a vodca"*. Precisou repetir três vezes até eu entender; as palavras e as intenções.

Na recepção, entregamos os passaportes e recebemos um cartão de identificação do hotel, que deveria ser devolvido no dia da saída, condição sine qua non para recebermos o passaporte de volta. Retinham o passaporte para tolher a liberdade de movimentação do viajante. O cartão dava direito às refeições naquele hotel, mas apenas lá. Recomendaram que não o perdêssemos. Era vedado aos cidadãos russos entrar nos hotéis da cidade.

Na manhã seguinte chegou o ônibus que nos levaria ao hospital. Seríamos acompanhados o tempo todo por um intérprete e por um funcionário também fluente em português. Dias mais tarde, depois de beber mais de meia garrafa de vodca no bar do hotel, esse funcionário me contaria ser o agente da KGB encarregado de nos vigiar e de cobrar pedágio das garotas que faziam programa nas dependências do hotel, atividade explorada por seus superiores.

O Centro Oncológico era um prédio imponente, tristonho, construído no estilo arquitetônico do realismo socialista. Fomos levados a um anfiteatro semelhante aos da faculdade em que estudei, as cadeiras dispostas em vários degraus, a mesa do professor na parte de baixo. Na metade do corredor central, entre as fileiras, havia uma mesinha com um aparelho estranho de um metro de altura. Tentamos adivinhar o que seria, até um colega pernambucano identificá-lo: "É um projetor de slides". Duvidamos; os projetores que usávamos já eram os de carrossel, portáteis. De todo modo, achei respeitoso conservarem uma relíquia em destaque no anfiteatro.

Do lugar onde eu estava sentado, fui um dos primeiros a ver um grupo de homens vindo apressado pelo corredor em direção ao anfiteatro. Vestiam aventais brancos fechados em volta do pescoço, tão compridos que chegavam aos calcanhares; na cabeça, um gorro branco enorme. Não é que o gorro apenas lembrasse o chapéu dos cozinheiros de restaurante ou o de pizzaiolos. Ele era *idêntico*. Chamava a atenção no homem que vinha à frente em passos militares o bigode preto de tinta, grosso, aparado antes de chegar aos limites dos lábios. Atrás dele, uns dez homens com o mesmo avental e chapéu de cozinheiro. Achei que fossem atores cômicos para nos saudar com uma performance de boas-vindas.

Assim que entraram no anfiteatro, o homem de bigode pintado dirigiu-se à mesa, enquanto os demais se sentaram nas cadeiras da primeira fila. Diante de nós, num inglês com solavancos, o líder fez uma saudação que começou com "*My dear Brazilian colleagues...*". Ele era o chefe do departamento de oncologia clínica.

Solicitou o primeiro slide. Para nosso descrédito, a engrenagem barulhenta da geringonça jogou um foco de luz na tela, que projetou um texto datilografado numa máquina avariada, em que as letras "a" e "o" tinham a parte central borrada.

Tão ultrapassado quanto o projetor e a máquina datilográfica, entretanto, foi o conteúdo da apresentação. A oncologia que os soviéticos praticavam estava pelo menos vinte anos defasada, e o professor falava de esquemas de tratamento incorporados à nossa rotina havia anos como se fossem grandes avanços da ciência soviética. Não apresentou um ensaio clínico sequer conduzido no centro nem parecia conhecer os estudos internacionais clássicos. Quando um colega perguntou que método estatístico eles tinham empregado para avaliar um esquema terapêutico extravagante adotado no tratamento do câncer de testículo, doença com altos índices de cura entre nós, a resposta mostrou que o professor não fazia ideia do papel da estatística na análise de dados científicos.

Terminada a aula, fomos convidados a nos dirigir a uma sala ao lado, para uma reunião com o professor e os assistentes. O ambiente era despojado: uma mesa comprida de madeira, cadeiras, um armário na lateral, uma pia e um pedestal de mármore com o busto de Lênin em bronze. O professor fez uma saudação, que os colegas me encarregaram de agradecer. Quando terminei, ele apertou minha mão e fez um sinal para os assistentes, que se apressaram a abrir o armário. De lá retiraram várias garrafas de vodca e copos de vidro com frisos verticais, que foram enchidos até o nível do friso circular na parte de cima.

Nós nos entreolhamos, sem acreditar que nos ofereciam duzentos mililitros de vodca naquela hora da manhã dentro de um hospital. Eles, no entanto, não se fizeram de rogados e viraram os copos em dois ou três goles, se tanto.

Disfarçadamente, fui derramando minha bebida na pia, expediente imitado por alguns colegas, enquanto outros deixavam seus copos ainda intactos em cima da mesa. Sem cerimônia, os médicos da casa pegavam os copos abandonados como se fossem os seus.

A euforia do álcool quebrou o gelo da reunião, que se prolongou por uma hora, durante a qual eles fizeram um interrogatório sobre a vida cotidiana e a organização da medicina no Brasil, diálogo nem sempre inteligível porque, sob a influência do álcool, alguns acabavam falando em russo. Nessas ocasiões, um de nossos colegas, gozador empedernido, respondia em português, alegando não fazer a menor diferença. Poucos falavam inglês, língua cujo aprendizado dependia da autorização de um comitê do Partido Comunista; aprender por conta própria levantava suspeitas de espionagem. Como podia ser a medicina de um país em que os médicos não conseguiam ler as revistas internacionais da área?

Terminada a reunião, fomos divididos em grupos pequenos, para acompanhar a visita às enfermarias. Descontados a extroversão e o rubor das faces, nenhum deles dava a impressão de estar embriagado.

Medicina socialista

Os corredores e as paredes cinzentas lembravam a aparência de hospitais antigos. Essa impressão era reforçada pelas salas de espera lotadas de pacientes e acompanhantes, boa parte dos quais em pé, pelas enfermarias que chegavam a ter dez leitos e pelas camas de metal com pintura descascada. Médicos e o pessoal de enfermagem usavam aventais puídos nos punhos e na gola e que um dia tinham sido brancos.

Acompanhamos a visita aos pacientes operados de câncer de intestino, tumor de alta prevalência num país em que a população apresentava índices tão elevados de problemas gastrointestinais que, em Moscou, existiam dois hospitais dedicados exclusivamente à especialidade. Visitamos um deles.

Rica em gordura e pobre em frutas e verduras para o fornecimento das fibras necessárias à fisiologia do aparelho digestivo, a dieta monótona da população era a principal responsável por esses males. De fato, nas três semanas que passamos no país, vários colegas nossos se queixaram de obstipação e problemas hemorroidários.

As filas para cirurgia eram tão grandes que doentes com sangramento intestinal chegavam a esperar meses por ela. A menos que subornassem algum médico ou um alto funcionário, como me confidenciou uma senhora portuguesa internada havia dez dias à espera do ultrassom que o cirurgião requisitara no pré-operatório. Médicos e enfermeiras pareciam dedicados e respeitosos com os pacientes, mas também presenciei diálogos rudes entre pessoas que aparentemente reclamavam das horas de espera e os funcionários administrativos encarregados de organizar o atendimento. "Uns cavalos", na opinião da senhora portuguesa.

Naquele tempo, não dispúnhamos de drogas muito eficazes para pessoas com câncer de pulmão avançado. Na Rússia, os doentes que se apresentavam com tumores fora de possibilidade cirúrgica eram tratados apenas com radioterapia, estratégia com resultados medíocres: o Estado considerava inútil investir em tratamento quimioterápico nos casos incuráveis.

O centro cirúrgico era antigo e malconservado. Na cirurgia de um doente com câncer de esôfago a que assisti, a porta da sala raspava no chão, com um barulho horrível toda vez que alguém entrava ou saía, o foco de luz esquentava, e, embora adequado, o instrumental era velho. A equipe cirúrgica parecia bem treinada.

Havia muitos pacientes com câncer de pulmão e carcinomas da cabeça e do pescoço, consequência da alta prevalência de fumo e álcool, pragas disseminadas na sociedade soviética, responsáveis pelas quedas anuais na expectativa de vida da população. Apesar do grande número de fumantes no Brasil daqueles anos 1980, fiquei chocado com o número de mulheres e homens de todas as idades que vi fumando nas ruas e nos ambientes fechados na União Soviética — inclusive nos corredores do hospital.

Num inglês fluente, um dos endoscopistas fez uma demonstração da aplicação de raios laser para tratar úlceras gástricas, duodenais, gastrites, esofagites de refluxo e outros problemas do aparelho digestivo superior. Mais de vinte pacientes aguardavam o procedimento naquele dia.

Ele defendeu a técnica com convicção e atribuiu os bons resultados que dizia obter aos efeitos anti-inflamatórios do laser. Quando dissemos que desconhecíamos a indicação do método nessas patologias e perguntamos se havia experiência em outros centros ou se eles tinham resultados publicados, a resposta foi que não. As conclusões eram baseadas na experiência pessoal.

A maioria dos pacientes era de Moscou, mas alguns vinham de cidades distantes. Com a ajuda do nosso tradutor, conversei com um senhor de idade, alto, encorpado, de bigodes vastos e retorcidos, cabelos brancos fartos e olhar magnético. Era um agricultor cossaco, pai de oito filhos, figura que parecia saída das páginas da novela *Tarás Bulba*, de Nikolai Gógol.

Ex-combatente do Exército russo na Segunda Guerra Mundial que participara da defesa heroica de Leningrado por ocasião do cerco das tropas nazistas, ele contou que vinha de uma pequena aldeia gelada nas estepes da Rússia asiática. Apresentava três ou quatro nódulos pigmentados metastáticos que surgiram nas imediações da cicatriz de um nevo na coxa, que ele ressecara a sangue-frio com uma faca. Justificava a agressividade da medida por ter perdido a paciência com uma lesão que sangrava ao menor traumatismo.

Envolvida no atoleiro que foi a guerra contra o Afeganistão (que recebia ajuda militar dos Estados Unidos), a União Soviética enfrentava uma crise econômica grave que impunha sacrifícios pesados à população. Moscou era a cidade das filas. Na porta dos mercadinhos, por exemplo, formavam-se várias: uma para comprar batatas, outra para a carne, outra para o pão e o leite. Os fregueses eram obrigados a comprar um item por vez, tendo que se dirigir para o fim de outra fila caso pretendessem adquirir mais um produto. As quantidades limitadas permitidas em cada compra obrigavam as pessoas a enfrentar uma rotina diária de muitas horas nas filas.

No hospital não era diferente. Com frequência víamos pacientes à espera de atendimento no início da manhã, que cinco, seis horas depois ainda encontrávamos no mesmo lugar.

O ônibus nos deixava no hospital às oito da manhã e nos levava de volta para o almoço no hotel; às duas da tarde reiniciávamos as atividades, que terminavam às cinco. Das janelas do hospital eu observava nosso ônibus estacionado no pátio o dia inteiro, à nossa espera. O motorista, que passava o dia sentado, descia de vez em quando para fumar, ocasião em que dava a volta no veículo e chutava os quatro pneus, como testando a calibragem deles. Ganhava como motorista trezentos rublos por mês, enquanto um médico recebia noventa, diferença justificada pelo fato de os motoristas serem considerados operários, enquanto os médicos exerciam uma profissão burguesa. Os médicos eram mal remunerados e malvestidos, condição idêntica à dos engenheiros — alguns chegavam a esconder o diploma para trabalhar como operários em suas especialidades.

Havia na cidade dois hospitais de arquitetura mais moderna que só conhecemos por fora, depois de tentarmos sem êxito obter autorização para visitá-los. Eram destinados exclusivamente aos cidadãos que prestavam "relevantes serviços à pátria". Como escreveu George Orwell em *A fazenda dos animais*, todos eram iguais, mas alguns eram mais iguais do que os outros.

Três anos depois, quando vi na televisão as imagens da queda do Muro de Berlim, não fiquei surpreso.

A bomba atômica

Em 1988, visitei o Instituto Nacional do Câncer em Tóquio. Fui convidado pela dra. Helena Morioka, nossa colega do departamento de oncologia clínica do Hospital do Câncer, que havia organizado a visita em conjunto com o cirurgião Rafael Possik, do departamento de cirurgia abdominal, meu colega de turma na faculdade.

A mãe de Helena iria também. A viagem começaria em Tóquio e terminaria em Hiroshima, cidade em que ela faria os exames anuais que o governo japonês oferece aos hibakushas, os sobreviventes da bomba atômica, estejam eles no país ou no exterior.

O hospital me causou impressão oposta à da experiência russa: organizado, limpo, silencioso, o fluxo de pacientes e acompanhantes direcionado para evitar aglomerações, salas de espera com todos sentados em cadeiras sem luxo, mas confortáveis.

Acompanhados por uma intérprete, visitamos laboratórios, o departamento de imagens, acompanhamos consultas, discussões sobre protocolos de tratamento, assistimos a cirurgias e a intervenções endoscópicas.

A endoscopia moderna teve origem na Alemanha, ainda nos anos 1960, mas os japoneses introduziram os aperfeiçoamentos que permitiram criar equipamentos mais flexíveis dotados de lentes de aumento e pinças, capazes de atingir o duodeno e de ressecar com segurança pólipos no intestino, tumores malignos e outras lesões do aparelho digestivo. Observar os endoscopistas manejando os equipamentos que tornariam possíveis as cirurgias minimamente invasivas das décadas seguintes foi um privilégio.

Fiquei impressionado quando o chefe do departamento falou das pesquisas com fibras ópticas que permitiram acoplar aparelhos de televisão ao endoscópio, criando a possibilidade de o médico enxergar os detalhes ampliados na tela, tecnologia mais tarde incorporada à rotina.

A incidência de câncer gástrico no Japão é uma das mais altas no mundo. Nos cidadãos que emigraram para os Estados Unidos, a prevalência cai, mas ainda se mantém mais alta que a dos americanos, dado epidemiológico que faz suspeitar não só de fatores dietéticos como também de predisposição genética.

Os cirurgiões japoneses padronizaram as gastrectomias radicais, que permitiram obter os índices de cura mais elevados da literatura médica. Montaram unidades móveis em pequenos caminhões estacionados nas portas das fábricas, para fazer endoscopias em todos os funcionários com mais de quarenta anos. Como consequência, eram os únicos no mundo com experiência em casos precoces de neoplasias de estômago, enquanto nós quase sempre fazíamos o diagnóstico com a doença em fase avançada.

Passados os momentos mais delicados das cirurgias, quando são dados os pontos finais para fechar os tecidos externos, os médicos costumam ficar mais relaxados, conversar sobre outros assuntos e até contar casos engraçados, válvula de escape para a tensão represada. Os cirurgiões japoneses, não. Eles só falam o absolutamente essencial, as cirurgias transcorrem e terminam no silêncio em que começaram.

    A relação dos médicos com os pacientes era formalmente respeitosa, mas lacônica. Embora reconhecessem o bom atendimento, os pacientes se queixavam de receber explicações insuficientes, característica que Helena dizia refletir a introspecção dos orientais e as dificuldades de comunicação interpessoal daquela sociedade.

    Como ocorria no Brasil naqueles anos, a prática de médicos e familiares esconderem dos pacientes o diagnóstico de câncer ainda era comum.

    Íamos ao hospital de metrô num horário em que as estações estavam tão congestionadas que o acesso às plataformas exigia passar de dez a quinze minutos nos corredores de acesso. Eles ficavam tão cheios de gente que uma vez não consegui me abaixar para recolher do chão duas moedas que deixei cair. Foi a experiência de entrar nos vagões do metrô japonês que me fez entender o real significado da expressão "sardinha em lata". Ficávamos tão colados uns nos outros nos vagões que não havia necessidade de segurar em nenhum apoio para nos equilibrar; formávamos um bloco monolítico de mulheres e homens sem espaço sequer onde cair.

    A proximidade física, no entanto, não dava margem a comportamentos desrespeitosos, inconvenientes ou pouco civilizados. Muitos viajavam de olhos fechados e passavam tanto tempo sem abri-los que davam a impressão de dormir em pé; outros já entravam no vagão segurando um livro na altura dos olhos, mantendo colado ao corpo o outro braço, esticado para baixo, que permaneceria assim imobilizado pelos demais passageiros. Na hora de virar a página, sabiam fazê-lo com o polegar e o indicador da mão que segurava o livro, sem o auxílio da outra.

    No hospital e fora dele não havia espaço para o desleixo comum entre nós. Tudo no país era arrumado com esmero: as frutas na quitanda, as prateleiras no supermercado, os doces na confeitaria, os pratos servidos no restaurante popular, os jornais e as revistas na banca. Conhecer o Japão é uma experiência estética.

Viajamos para Hiroshima num trem-bala que nos dava a oportunidade de descer no caminho, deixar as bagagens nos armários das estações e ir visitar os lugares turísticos que a mãe de Helena havia selecionado para nós. Depois continuávamos a viagem no trem seguinte.

Ficamos hospedados na casa da tia-avó de Helena, uma senhora magrinha de setenta anos que ia às compras de bicicleta.

Fiz uma palestra na faculdade de medicina da Universidade de Hiroshima sobre a experiência brasileira com o BCG oral no tratamento do melanoma maligno. No final, recebi um envelope com motivos de cerejeiras floridas, que Helena me orientou a não abrir. Dentro, estava o pagamento pelo trabalho.

Visitamos o hospital da universidade. Passamos uma manhã inteira na unidade de terapia intensiva discutindo os casos dos doentes internados, dois dos quais nos chamaram a atenção: tentativas de suicídio com a ingestão de fertilizante.

O plantonista-chefe nos explicou que casos como esses eram uma tragédia que se tornara mais frequente. Num período de vinte a trinta dias de internação na UTI, todos os pacientes envenenados pelo fertilizante iam a óbito por falência múltipla de órgãos, sem exceção.

Como o sistema de saúde japonês não cobria as despesas de internação por tentativa de suicídio, as famílias muitas vezes precisavam vender a casa ou contrair dívidas altas para pagar os gastos hospitalares.

As associações médicas haviam tentado proibir a fabricação do fertilizante, mas prevaleceram os interesses comerciais. Quando perguntei por que não faziam campanhas de esclarecimento dirigidas ao público, o plantonista-chefe respondeu que haviam divulgado uma advertência: "Não recomendamos esse método de suicídio".

A tia-avó e a avó da Helena contaram que elas moravam na periferia de Hiroshima durante a guerra contra os Estados Unidos. Por volta das oito da manhã do dia 6 de agosto de 1945, ouviram um estrondo ensurdecedor, seguido de uma nuvem em forma de cogumelo que subiu aos céus e encobriu a luz do sol. Por coincidência, meu irmão nasceu nesse dia. Eu tinha dois anos.

Um avião que sobrevoara a cidade tinha lançado uma bomba de urânio de três metros de comprimento que explodiu a seiscentos metros do solo, formando uma bola de fogo que criou um inferno com ondas de calor superiores a 4 mil graus Celsius. Os incêndios duraram três dias.

O impacto foi equivalente ao de 15 mil toneladas de dinamite (um quilo de dinamite faz um carro voar pelos ares). As pessoas que estavam nas proximidades do epicentro da explosão desapareceram sem deixar vestígios. Num raio de cerca de dez quilômetros quadrados, dois terços das edificações ruíram e os sobreviventes sofreram queimaduras de terceiro grau. Vagavam pelas ruas desesperados de dor e sede: com o calor liberado, toda a água da cidade evaporara. No mesmo dia morreram entre 50 mil e 100 mil pessoas.

Um médico do hospital nos contou que seu pai, cirurgião numa cidade vizinha, foi ajudar no atendimento dos feridos. Crianças, mulheres e homens de todas as idades apresentavam queimaduras que dilaceravam a pele e os tecidos abaixo dela. Tinham náuseas, vômitos, sangramentos, desidratação, queda de cabelo e muita dor, mas na cidade devastada não havia analgésicos, material para curativos, instalações nem profissionais em número suficiente para socorrê-los. Disse que os olhos do pai se enchiam de lágrimas quando falava dos pacientes e da frustração com as mortes em série que se sucediam.

Na casa da família dos pais da avó e da tia-avó da minha colega, ninguém fazia ideia das proporções atômicas do ataque. Imaginavam que se tratara de uma bomba muito forte.

Na manhã seguinte à explosão, a mãe delas arrumou as filhas para irem à cidade saber como estavam os parentes. Por sorte, o marido chegou a tempo de impedi-las quando elas já saíam pelo portão. Naquela tarde, a água evaporada pelo calor caiu sobre Hiroshima. A chuva radioativa queimou os que vieram de fora à procura dos familiares.

Quando me sinto pessimista com os rumos da humanidade e penso que eu já tinha nascido quando lançaram bombas atômicas sobre duas cidades, fazendo evaporar dezenas de milhares de pessoas e queimando os sobreviventes sob os olhares complacentes do mundo, e que ainda assim, bem ou mal, chegamos até aqui sem a explosão de outra bomba atômica, fico até um pouco mais otimista.

Instituto Karolinska

Em 1979, fui convidado a fazer uma palestra em Amsterdã numa reunião do Grupo Internacional de Melanoma Maligno.

Sob a égide da Organização Mundial da Saúde, com o propósito de estabelecer diretrizes para orientar os médicos, um grupo de especialistas se reunia a cada dois anos em cidades europeias, para avaliar os avanços na biologia e no tratamento do melanoma.

Fiquei feliz com o convite, pois teria a oportunidade de mostrar o trabalho com o BCG oral aos especialistas mais destacados da área, gente que publicava nas revistas científicas de primeira linha.

O evento, que durou três dias, foi realizado num centro hospitalar ligado ao Netherlands Cancer Institute, o Antoni van Leeuwenhoek Hospital. O nome é uma homenagem a um dono de armarinho que, por diletantismo, desenvolveu um dos primeiros microscópios.

Leeuwenhoek (1632-1723) é um dos exemplos de como, na ciência, perguntas podem ser mais relevantes do que respostas. Enquanto os criadores dos microscópios da época usavam seus aparelhos para magnificar objetos e seres visíveis a olho nu, como cabeça de abelhas e asas de borboletas, o comerciante holandês dirigiu sua atenção para o que poderia existir de invisível no seio de uma gota de chuva, de sangue ou de esperma, curiosidade que lhe permitiu fazer a primeira descrição de bactérias, hemácias e espermatozoides. Não foi sem merecimento, portanto, que o título de pai da microbiologia foi dado a um comerciante.

Minha palestra ocorreu na manhã do último dia do evento. Nervoso, falando o melhor inglês que consegui, relatei nossa experiência no Hospital A.C. Camargo, enquanto eram projetadas as fotos das lesões em regressão progressiva até seu desaparecimento completo e as imagens dos quadros histológicos que as documentavam.

Quando terminei, as perguntas foram tantas que a palestra seguinte atrasou vinte minutos. Uma das maiores autoridades em melanoma na época, um pesquisador escocês, disse em tom quase solene que não havia relato na literatura de rejeição de melanoma metastático obtida a partir de um estímulo imunológico administrado por via oral.

Com 36 anos, experimentei o que imagino ser a sensação motivadora de tantos cientistas ao redor do mundo, gente que enfrenta as agruras de uma carreira mal remunerada, cheia de obstáculos, horas de estudo, inseguranças e sacrifícios pessoais e familiares.

No intervalo para o almoço, conheci o sueco Ulrik Ringborg, um dos principais investigadores do grupo de melanoma do Instituto Karolinska, um dos centros mais importantes da oncologia europeia. Eu era fascinado pelo que a Suécia representara para a minha geração de adolescentes: país socializado, com liberdade de imprensa, sem pobreza, sem problemas de moradia, um Estado que financiava educação e saúde, uma sociedade que respeitava os direitos individuais, a diversidade e a liberdade sexual.

Eu mesmo tinha vivido uma experiência que me mostrara como éramos atrasados e caipiras. Na viagem para a Europa com meus colegas de faculdade, em Estocolmo conheci num bar a mulher mais loira que já tinha visto. Depois de uma conversa que se prolongou até fecharem as portas, ela me convidou para ir à casa dela. Na manhã seguinte, me acordou para o café. Quando descemos, o pai, a mãe e um irmão mais novo dela estavam à mesa. Fiquei tão sem graça que precisei me segurar para não inventar uma desculpa e fugir dali. Acho que só não o fiz porque pareceram muito interessados em saber como era a vida no Brasil, um país ensolarado, com tantas belezas naturais e um povo alegre, carnavalesco, segundo imaginavam. Uma cena como essa seria impensável no país atrasado, preconceituoso, conservador e ditatorial em que vivíamos nos anos 1960.

No almoço com Ulrik, falei da minha admiração por seu país, contei esse episódio e descrevi meu constrangimento. Ele riu e me perguntou por que eu não voltava à Suécia para conhecer o Instituto Karolinska.

A visita aconteceria seis anos depois, em 1985. Fui com Regina, minha mulher, que aproveitou a oportunidade para fazer um estágio no Dramoten, o teatro mais renomado do país, palco de vários espetáculos dirigidos por Ingmar Bergman, diretor de clássicos como O último selo, Morangos silvestres, Fanny e Alexander e Cenas de um casamento.

Ficamos hospedados num pequeno apartamento do prédio em que estava instalado o Serviço de Radioterapia. Fundado em 1910 com o nome de Radiumhemmet, o edifício é um testemunho da clarividência dos cientistas suecos ao anteverem as aplicações médicas das descobertas que ocorriam no campo da física. A primeira delas foi o raio X, pelo físico alemão Wilhelm Röntgen, que em dezembro de 1895 radiografou os ossos da mão esquerda da própria esposa.

Em seguida, no período de 1898 a 1902, Marie Curie e Pierre Curie publicaram os estudos que estabeleceram as bases da radioatividade, um dos quais documentou a destruição de células malignas expostas ao rádio, elemento químico descoberto por eles. Quase dez anos depois, os suecos já inauguravam um instituto de radioterapia dedicado ao tratamento de pacientes com câncer.

Na primeira manhã no hospital, acompanhei a visita aos internados no departamento de oncologia clínica. As enfermarias de paredes claras, os quadros nos corredores que exibiam pôsteres de exposições de arte, os postos de enfermagem, as estantes que guardavam os prontuários médicos, tudo era muito bem cuidado; os pacientes idosos recebiam flores das assistentes sociais no dia da internação. Os médicos falavam em sueco com os doentes, enquanto um deles traduzia em inglês para mim.

Terminada a visita, nos reunimos na sala do café, com os prontuários, para discutir as condutas. Todos os médicos e as enfermeiras eram fluentes em inglês, e se um deles fazia um comentário na língua nativa, alguém se apressava a traduzi-lo. Conversavam em voz baixa, um de cada vez, sem interrupções, ouviam os residentes com a mesma atenção que mereciam os mais experientes.

O estágio durou três meses, nos quais, em rodízio, passei pelos vários departamentos. Fiquei muito impressionado com os laboratórios de pesquisa, com cientistas e estagiários oriundos de vários países trabalhando em tempo integral e com a organização do atendimento nos ambulatórios, dotados de salas de espera amplas com cadeiras estofadas. Estranhei apenas o horário de trabalho: às quatro da tarde, impreterivelmente, todos iam para casa. No hospital ficavam apenas os plantonistas do pronto-socorro, que as enfermarias chamariam em caso de emergência.

Quando perguntei se os médicos saíam nesse horário para ir atender em seus consultórios particulares, meus colegas riram.

O governo não os proibia de ter consultórios, mas, para desestimulá-los, o imposto de renda cobrado por essa atividade adicional chegava a 80%.

No decorrer do estágio, percebi que aquela estrutura invejável, altamente organizada, que empregava estudantes do curso superior na limpeza, para ajudá-los a pagar as despesas pessoais, médicos e enfermeiras bem preparados, esbarrava num desacerto, fonte universal de reclamações de pacientes e familiares: o atendimento era prestado por médicos e residentes cuja escala de serviço variava de tal forma que um doente podia ser atendido toda vez por um médico diferente.

Lembro do caso de um exilado político argentino de quarenta anos que se tratava de um linfoma de baixa agressividade havia quatro ou cinco anos. Nesse período, ele tivera duas remissões completas, seguidas de recidiva nos linfonodos espalhados pelo corpo. Antes de o paciente entrar na sala de consulta, o médico sueco abriu o prontuário para se inteirar do caso pela primeira vez. Como seria possível ler as mais de cem páginas que continham os esquemas de quimioterapia já administrados, as respostas a eles, os exames anatomopatológicos das biópsias realizadas e os relatórios das tomografias computadorizadas?

O paciente entrou com uma mulher alta, de cabelo curto e expressão tensa. Sentaram-se na nossa frente. Embora falassem em sueco, ficava claro que o médico fazia perguntas que mostravam desconhecimento do que havia acontecido com a doença naqueles anos, situação que o obrigava a abrir e reabrir o prontuário à procura dos dados necessários. Às tantas, pediu licença e se retirou da sala para ir conversar com o colega que fizera a consulta anterior.

Enquanto esperávamos, o rapaz me perguntou de onde eu era e se falava espanhol. Queria saber se eu havia sido contratado para trabalhar naquele departamento. Quando respondi que não, pareceu decepcionado: "Aqui é muito difícil. Eles são muito educados, respeitosos, mas você é paciente de um grupo, ou seja, você tem muitos médicos e ao mesmo tempo nenhum. Toda vez tenho que responder às mesmas perguntas. Como eles podem me tratar de um câncer como esse sem conhecer meu caso?".

Quando encerrei o estágio, fui chamado à sala do dr. Jerzy Einhorn, diretor do hospital e membro do comitê do prêmio Nobel de medicina. Queria saber como haviam me tratado e quais os defeitos e as qualidades que eu tinha notado no sistema de atendimento. Quando contei que muitos pacientes se queixavam da rotatividade dos médicos no atendimento ambulatorial, ele respondeu: "Esse é o maior inconveniente de uma medicina socializada como a nossa. Não é fácil convencer profissionais que recebem salários fixos a atender às solicitações dos doentes e dos familiares e a lidar com as angústias de quem sofre de câncer, como se fossem médicos particulares".

Essa contradição não era exclusiva da Suécia daquele tempo. Ainda hoje ela existe e ocupa posição central na organização dos serviços de saúde. Como estender aos que dependem do atendimento universal conduzido por assalariados os cuidados personalizados oferecidos aos poucos que podem contratar serviços médicos particulares?

Como exigir atenção e envolvimento de profissionais encarregados de atender pacientes com enfermidades complexas, no ritmo de três, quatro consultas por hora, como acontece nos maiores centros mundiais? É possível em quinze minutos ouvir o histórico da doença e as queixas do paciente, fazer o exame físico, anotar os dados, pedir os exames laboratoriais e de imagem, explicar a conduta sugerida, responder às perguntas dele e dos familiares que o acompanham, prescrever a medicação e marcar a data de retorno?

A prática da medicina moderna enveredou por um caminho arrevesado: custos cada vez mais altos, pacientes insatisfeitos com o atendimento e médicos frustrados e infelizes com a profissão.

Compulsões

A neurobiologia das compulsões só começou a ser descrita a partir dos anos 1980. É provável que o desinteresse da academia por um aspecto tão peculiar do comportamento humano refletisse o preconceito da sociedade contra os usuários de drogas ilícitas, tidos como pessoas fracas e de caráter duvidoso.

Acho que o ambiente científico só se interessou por essa área quando as drogas ilícitas chegaram aos jovens das classes médias americana e europeia a bordo do movimento hippie dos anos 1960.

A política de "guerra às drogas" declarada pelo presidente Richard Nixon em 1971, apesar de adotada nos cinco continentes, foi um fracasso retumbante: aumentou a violência urbana e pouco fez para reduzir o consumo ou o preço das drogas nas ruas das cidades. O resultado direto dessa estratégia foi o aumento explosivo da população carcerária no Brasil e na maioria dos países.

Hoje sabemos que as compulsões estão ligadas ao sistema de recompensa existente no cérebro, formado por circuitos de neurônios que transmitem os sinais das sensações que causam bem-estar ao organismo: a temperatura externa agradável, a satisfação de uma necessidade fisiológica premente, o sabor de um alimento, uma carícia, o ato sexual.

As compulsões surgem quando esse mecanismo é subvertido pelo disparo de um estímulo intermitente ou continuado que retroalimenta o circuito, em desobediência ao domínio da razão.

As drogas psicoativas são o exemplo típico. Lícitas ou não, provocam aumento rápido na liberação de dopamina nas sinapses que conectam os neurônios do sistema de recompensa. O pico de prazer intenso resultante desse evento dá origem ao aprendizado associativo: droga — prazer — mais droga — mais prazer, que constrói a base do condicionamento.

Com a repetição da experiência, os neurônios que liberam dopamina já começam a entrar em atividade ao reconhecer os estímulos ambientais e psíquicos vividos nos momentos que antecedem o uso da substância, fenômeno que o povo chama de "fissura".

É por esse mecanismo que voltar aos locais em que a droga foi consumida, encontrar com pessoas sob o efeito dela ou cair no estado mental que predispõe a seu uso pressiona o usuário a repetir a dose.

O condicionamento fica de tal maneira enraizado nos circuitos cerebrais, que pode despertar surtos de fissura mesmo depois de longos períodos de abstinência. A pessoa deixa de ser usuária, mas o substrato neuronal da dependência persiste.

As recompensas naturais — como aquelas obtidas com alimentos saborosos e sexo — também estão ligadas à dopamina, mas nesse caso a liberação é interrompida ao atingirmos a saciedade. As drogas psicoativas, ao contrário, armam curtos-circuitos que bloqueiam a saciedade natural, para manter picos elevados de dopamina até esgotar sua produção. Por esse motivo, comportamentos compulsivos por recompensas como alimentos ou sexo são mais raros do que aqueles associados a álcool, cocaína ou nicotina.

Como efeito colateral, o condicionamento empobrece os pequenos prazeres do cotidiano: encontrar um amigo, brincar com uma criança, a beleza da paisagem. No usuário crônico, os sistemas de recompensa e motivação são reorientados para os picos de dopamina, associados à droga e a seus gatilhos antecipatórios.

Com a repetição do uso, desencadeia-se o mecanismo de tolerância, que exige doses progressivamente mais altas para a obtenção de efeitos cada vez menos intensos. No limite, a tolerância pode levar a overdoses que colocam a vida em risco. Esta é a armadilha em que cai o usuário: aumento do consumo em busca de um nível de prazer que não será mais alcançado.

Quando esses mecanismos se tornaram conhecidos, ficou evidente que eram os mesmos envolvidos em outros comportamentos psicopatológicos: a compulsão por compras, por colecionar objetos, por jogo e até transtornos mentais como o TOC.

Tive uma paciente que desenvolveu compulsão por comprar roupas. O gatilho antecipatório era sempre uma contrariedade ou a melancolia trazida pela falta do que fazer em casa à tarde. O problema surgiu quando ela se aposentou. De um dia para o outro abandonou a vida atribulada como diretora de uma organização financeira, decidida a fazer o que a falta de tempo até então não lhe permitira: viajar, ir ao cinema, ler os livros que desejasse. Como o marido era executivo de uma multinacional, saía cedo e voltava à noite, a vida dos dois entrou em descompasso.

Para preencher as tardes solitárias, ela começou a ir ao shopping. No início, olhava as vitrines e comprava uma ou outra peça de que necessitava. Com o tempo, as compras se avolumaram de tal forma que ela chegou a ter dúzias e dúzias de sutiãs e de calcinhas, mais de duzentos pares de sapato, coleções de blusas e malhas para todas as estações, mais casacos e vestidos de costureiros famosos do que as oportunidades para usá-los. Os gastos se tornaram tão altos, que perdeu o controle do cartão de crédito e foi obrigada a pedir sucessivos empréstimos bancários.

Os desentendimentos do casal se tornaram tão frequentes que resultaram no rompimento de uma relação de mais de trinta anos.

Acompanhei de perto esse drama pessoal sem saber como ajudar. Frustração maior foi ver que os psiquiatras que ela consultou não tiveram sucesso.

Na cadeia, vi pacientes suplicar por ajuda para livrá-los da compulsão por cocaína, que os obrigava a contrair dívidas impagáveis, capazes de lhes custar a vida. Em 1992, o crack chegou no Carandiru, reflexo da epidemia que começava a se disseminar pelas periferias das cidades. Em poucos meses a ordem social no presídio foi desorganizada. Os assassinatos se multiplicaram.

A compulsão forçava os usuários a repetir a dose, mesmo sabendo que não teriam como pagar por ela. Endividados, ameaçados de morte, vinham para a consulta implorando que eu os tirasse daquele inferno. Nada mais decepcionante para o médico do que atender um paciente com risco de morte, sem saber como evitá-la, além de dar conselhos inúteis.

Com o tempo adotei duas medidas que foram de grande proveito em alguns casos: conseguir que o preso fosse transferido para uma cela em que os companheiros não fumassem crack e aconselhá-lo a fumar maconha para acalmar a ansiedade provocada pela fissura nos momentos mais difíceis, estratégia que mais tarde receberia o nome de "redução de danos".

Aprendi que a compulsão é tanto mais intensa quanto menor o intervalo de tempo entre a ação e a recompensa. Por isso não se ouve falar em viciados em apostas na loteria federal, modalidade em que o bilhete é comprado dias antes do sorteio. Em contrapartida, os caça-níqueis e o baralho atraem multidões. Da mesma forma, a compulsão por compras se manifesta com maior frequência no balcão das lojas do que nas compras feitas pela internet.

Essa é a explicação para o surgimento da epidemia do cigarro depois da Primeira Guerra Mundial, bem como a do crack nos anos 1990. Drogas psicoativas inaladas caem direto nos pulmões e atingem o cérebro mais depressa do que as injetadas na veia, uma vez que não perdem tempo na circulação venosa.

Talvez por ter sido dependente de nicotina dos dezessete aos 36 anos de idade e pela minha longa experiência com mulheres e homens dependentes de crack, aprendi a não fazer juízo moral e a tentar entender o drama dos que caem nas malhas do comportamento compulsivo.

O médico não é juiz, não cabe a ele julgar o comportamento de seus pacientes. Para evitar julgamentos, ao atender um homem preso ou uma mulher presa não quero saber a natureza do crime cometido, da mesma forma que não pergunto se fez alguma falcatrua o paciente de terno e gravata que trabalha no mercado financeiro.

Na clínica, sempre tive dificuldade em classificar como transtornos psiquiátricos certos comportamentos. Colecionar moedas, selos raros ou chaveiros é excentricidade ou compulsão? Quando viajo para o exterior, tenho necessidade de conferir várias vezes se o passaporte está em minha mala de mão; sei que está, porém preciso tocar nele. É compulsão, claro, mas não da mesma intensidade daquela que infernizava as noites de um paciente com câncer que não conseguia ir para a cama sem ter certeza de que as duas portas do apartamento e as seis bocas do fogão a gás estavam fechadas, tarefa que para tranquilizá-lo precisava ser repetida doze vezes em cada fechadura e em cada botão de gás.

A mesma dificuldade é traçar a linha divisória entre os quadros de tristeza, luto prolongado ou falta de motivação daqueles característicos da depressão crônica que precisa ser medicada. Ou separar a ansiedade que a agitação da vida de hoje, os compromissos e os estímulos que a rotina on-line nos impõem dos transtornos de ansiedade generalizada ou de síndrome do pânico.

O cigarro

Comecei a fumar com dezessete anos. Naquela época, o cigarro era um dos ritos de passagem da adolescência para a vida adulta, além de resolver o problema de não saber o que fazer com as mãos quando chegava nas festas e nos bailes de formatura.

Com dezoito anos, quando passei a dar aula no cursinho para alunos da minha idade ou mais velhos, acender um cigarro me ajudava a reduzir a tensão que a insegurança e o medo de errar me causavam. O fato de professores e alunos fumarem nas salas de aula nos dava a sensação de que havíamos nos tornado homens, distantes dos colegiais que não contavam com essa liberdade.

Na segunda metade do século XX, a indústria do fumo investia fortunas em publicidade. Nenhuma outra se comparava a ela. Os comerciais de cigarro exibiam festas em salões elegantes com mulheres jovens de olhar sensual, ao lado de homens maduros e bem-vestidos ou caubóis em cavalgadas pelas montanhas. Muitas empresas de tabaco associavam suas marcas à prática de esqui, competições em barcos a vela, equitação e outros esportes inacessíveis aos comuns dos mortais.

Nos anos 1960, cerca de 60% dos homens fumavam, mas os números entre as mulheres eram menores. De olho num público com potencial para duplicar as dimensões do mercado, a publicidade procurou associar a imagem do cigarro à liberdade sexual que as mulheres timidamente começavam a experimentar na esteira da descoberta da pílula anticoncepcional. Surgiram marcas como Charme e Free, que a televisão apresentava como passaportes para o universo da mulher moderna, capaz de se rebelar contra a opressão da sociedade e encantar e seduzir homens maravilhosos.

A irritação provocada pela passagem da fumaça na garganta, empecilho para a aceitação feminina, foi combatida com os cigarros de baixos teores, que os estudos demonstrariam ser ainda mais perniciosos, por estimular tragadas mais profundas e mais frequentes e levar o fumante a manter a fumaça mais tempo no interior dos pulmões. Para disfarçar o gosto aversivo e o mau hálito, o processo industrial acrescentou aditivos químicos como o mentol e outros com sabores agradáveis ao paladar das crianças: chocolate, maçã, framboesa, baunilha.

A relação do fumo com o câncer fora estabelecida na Inglaterra ainda na década de 1950. Nos anos seguintes, os estudos demonstraram que o cigarro era o principal responsável pelas epidemias de doenças pulmonares obstrutivo-crônicas, por ataques cardíacos e acidentes vasculares cerebrais. Daí em diante, as evidências científicas de outros malefícios, do sofrimento e das mortes causadas pelo fumo se acumularam rapidamente.

Essas informações, no entanto, eram escondidas do público graças ao poder que as verbas publicitárias exercem sobre a mídia. Jornais, revistas, rádios e televisões não tinham interesse em divulgá-las, sob pena de perder a principal fonte de renda.

O ambiente científico enfrentava dificuldades semelhantes. As companhias de tabaco faziam doações a sociedades médicas americanas e europeias, patrocinavam congressos e conferências e contratavam cientistas de aluguel para rebater as críticas e os dados estatísticos de qualquer pesquisa que confirmasse os efeitos devastadores do cigarro na saúde humana.

Descontada a escravidão, não consigo ver crime maior na história do capitalismo internacional.

O lobby da indústria impedia a aprovação de qualquer lei que restringisse o acesso e o uso do fumo. Fumava-se em restaurantes, aviões, hospitais, consultórios médicos, elevadores, escritórios, salas de espera e espaços públicos. A únicas proibições eram cinemas, transporte urbano e elevadores. Os ambientes todos viviam esfumaçados, houvesse bebês, crianças, pessoas de idade ou grávidas por perto. Nos anos 1980, para impedir que continuássemos fumando no anfiteatro durante as reuniões semanais do corpo clínico no Hospital do Câncer, o chefe do departamento de tórax precisou organizar um abaixo-assinado, que teve dificuldade para ser aprovado. Votaram contra até não fumantes, que consideravam a medida um atentado à liberdade individual.

Como não podia deixar de acontecer, câncer de pulmão se tornou a primeira causa de morte por câncer entre os homens. Era uma doença rara no início do século XX. A relação de causa e efeito ficou clara também para tumores malignos em localizações insuspeitas até então: boca, faringe, laringe, traqueia, esôfago, estômago, bexiga, rins, pâncreas e até colo de útero.

Antes que fossem divulgados os trabalhos que comprovariam a relação direta entre fumo e doenças cardiovasculares, já havíamos percebido que as mortes por infarto, AVC e doenças nos vasos periféricos eram raras em não fumantes com menos de sessenta anos.

Experimentei na pele a dificuldade de me livrar da nicotina, droga que provoca a mais escravizadora das dependências químicas. Nas cadeias, aprendi que é mais fácil largar o crack. Na rua do Hospital do Câncer, vi pacientes operados de câncer de laringe levantarem o pano que lhes cobria o orifício da traqueostomia para fumar através dela. Tive doentes com enfisema grave que fechavam o registro do balão de oxigênio e acendiam o cigarro para dar duas ou três tragadas, que deixavam o rosto deles cianótico de tanta falta de ar.

No internato do Hospital das Clínicas, acompanhei um paciente com tromboangeíte obliterante, doença exclusiva de quem fuma, capaz de provocar obstruções de vasos periféricos que levam à necrose e à amputação dos membros afetados. No caso dele, quando começavam as crises de dores e cianose nas extremidades, ele sabia que terminariam com amputações sucessivas, que começavam nos dedos. Tinham sido mais de vinte cirurgias, sem que ele conseguisse parar de fumar. Naquela ocasião, fora internado para amputar o antebraço esquerdo, único membro poupado até ali. No leito, depois da operação, sem as duas pernas e as mãos, suplicava que lhe colocássemos um cigarro na boca para dar "pelo menos uma tragadinha".

Em minha família, o cigarro cobrou um preço alto. Do lado materno, éramos nove primos, oito homens e uma mulher, todos fumantes. Dos que ainda não haviam parado de fumar, três tiveram infarto do miocárdio antes dos sessenta anos, um vive com complicações do enfisema e dois morreram de câncer de pulmão, um deles meu irmão mais novo, que perdeu a vida com 45 anos.

Nos anos 1990, chegaram a meu consultório amigos e companheiros de infância e adolescência com câncer de pulmão, quase todos com tumores avançados, incuráveis. É um desafio à parte receber um amigo com quem você convive ou conviveu, examiná-lo, olhar os exames e tomar consciência de que vai perdê-lo para sempre.

A partir dos anos 2000, vieram as mulheres, duas das quais ex-namoradas. A mortalidade feminina por câncer chegou pouco depois daquela entre os homens. Elas começaram a fumar alguns anos mais tarde do que eles.

Em 2000, o Ministério da Saúde, comandado por José Serra, conseguiu aprovar no Legislativo a proibição da publicidade de cigarro nos meios de comunicação de massa. Apesar de brechas nas leis ainda permitirem a propaganda em pontos de venda como padarias, bares, a indústria de tabaco perdeu o poder de constranger as empresas de comunicação com as verbas publicitárias. Finalmente, os médicos puderam mostrar à sociedade os males do cigarro e expor a natureza do crime continuado que os lobbies da indústria encobriam.

A imagem dos cigarros como a de um hábito inofensivo, charmoso, banal, associado a mulheres sensuais e a homens de sucesso, gradativamente foi substituída pela realidade do que o cigarro é: uma dependência química causadora de envelhecimento precoce, pele de aspecto doentio, fôlego curto, falta de ar, tosse irritativa com secreção, hálito repulsivo, mau cheiro nas roupas e de um cortejo de doenças crônicas que espalham mortes prematuras precedidas por muito sofrimento pessoal e familiar.

Participei ativamente de campanhas educativas de combate ao fumo, presentes desde a década de 1980 no rádio e na imprensa escrita, e, a partir de 1999, na televisão. No programa *Fantástico*, da TV Globo, tive a oportunidade de, por duas vezes, comparar um pulmão normal, de cor rosada, com o estado em que ficam os pulmões de fumantes, tão enegrecidos pela fuligem que dão a impressão de terem caído no piche.

É admirável o poder de convencimento dessas imagens; são incontáveis as pessoas que dizem ter largado o cigarro depois de vê-las. Encontro com elas em todos os lugares Brasil afora, no interior e nas cidades grandes, em favelas, margens de rios e na classe executiva dos aviões.

Em 1967, quando saí da faculdade, 60% dos brasileiros adultos fumavam; hoje a prevalência do fumo está abaixo dos 10%, uma das menores no mundo. Fumamos menos do que nos Estados Unidos, no Japão e do que em todos os países europeus.

A que devemos esse resultado? Não podemos dizer que tenha sido exclusivamente à proibição da publicidade de cigarros e à de fumar em ambientes fechados, ou às imagens horríveis obrigatoriamente estampadas nos maços, porque essas medidas tinham sido adotadas anos antes em países com um nível educacional muito superior ao nosso. A propaganda no rádio, na TV e nos jornais, por exemplo, foi proibida na Suécia na década de 1970; as imagens nos maços, o Canadá já exibia nos anos 1990. Não tenho dúvida de que a televisão brasileira teve papel decisivo na diminuição do fumo no país, ao proibir que personagens de novelas aparecessem fumando e ao dar amplo acesso aos médicos para informar os espectadores sobre os malefícios que o cigarro causa.

Em 55 anos de profissão, todos os doentes que curei ou para cuja melhora contribuí não passam de uma fração insignificante daqueles que poupei do sofrimento e da morte ao ajudá-los a parar de fumar.

A indústria do tabaco, no entanto, reage com as estratégias criminosas de sempre: migra para os países africanos e asiáticos em que a legislação é mais frouxa, e criou os cigarros eletrônicos, apresentados como alternativa menos nociva, quando na verdade se destinam a viciar em nicotina crianças que não fumariam os cigarros tradicionais. Neste momento, corremos o risco de assistir ao renascimento da epidemia de dependentes de nicotina.

A OMS estima que no decorrer do século XXI ocorrerão no mundo pelo menos 800 milhões de mortes causadas pelo cigarro.

No olho do furacão

"Surgiram casos estranhos de sarcoma de Kaposi disseminado entre homossexuais jovens na Califórnia", disse num almoço em São Paulo o dr. Joseph Burchenal, chefe do departamento de oncologia clínica do Memorial Sloan-Kettering Cancer Center, em Nova York, um dos maiores centros americanos de pesquisa e tratamento.

Fiquei intrigado. Havia tratado apenas dois casos dessa doença rara, caracterizada pelo aparecimento de nódulos avermelhados na pele dos membros inferiores de pessoas de idade, geralmente oriundas da região do Mediterrâneo, em pacientes medicados com drogas imunossupressoras para evitar a rejeição de órgãos transplantados e em outras condições associadas à debilidade do sistema imunológico.

O sarcoma de Kaposi clássico é uma doença de evolução lenta, controlada com relativa facilidade pela radioterapia. A descrição de uma forma agressiva, disseminada, que comprometia órgãos internos de jovens sem sinais aparentes de imunodepressão, conforme descrevia o dr. Burchenal, era desconhecida na medicina.

No dia seguinte fui à biblioteca procurar o *Morbidity and Mortality Report*, publicação semanal produzida pelo Centers for Diseases Control and Prevention (CDC), dos Estados Unidos, que traz informações epidemiológicas e recomendações de interesse em saúde pública.

Estávamos em setembro de 1981. Numa edição de junho do mesmo ano, encontrei um artigo que me chamou a atenção. Dois médicos da Universidade da Califórnia, Joel Weisman e Michael Gotlieb, descreviam casos de uma doença em jovens que apresentavam sintomas de depressão imunológica, perda de peso, linfonodos aumentados, febre, lesões cutâneas, diarreia crônica, redução da contagem de glóbulos brancos e infecções por fungos.

O relato dizia: "Cinco homens jovens, homossexuais ativos, foram tratados de pneumonia por *Pneumocystis carinii*, comprovada por biópsia em três hospitais de Los Angeles, Califórnia; dois faleceram".

Muita coincidência surgirem na mesma região do país casos de homossexuais masculinos com Kaposi disseminado e pneumonia pelo *P. carinii*, doenças características de pessoas imunodeprimidas. O que estaria acontecendo com esses jovens? Um agente infeccioso sexualmente transmissível? Uso abusivo de alguma droga ilícita com atividade imunodepressora?

Na literatura médica, era a primeira descrição da enfermidade que receberia o nome de aids, a última pandemia do século XX.

Quase ao mesmo tempo foram documentados casos de homens homossexuais infectados em Nova York, San Francisco, Paris, Londres e outras capitais europeias.

Em alguns meses, vieram os usuários de droga injetável, os receptores de transfusão de sangue, os pacientes com hemofilia tratados com infusões de fator anti-hemofílico, mulheres heterossexuais, os haitianos que tinham emigrado para os Estados Unidos e grande número de africanas e africanos que viviam nos países abaixo do deserto do Saara. Tratava-se, de fato, de uma pandemia.

O primeiro diagnóstico no Brasil foi feito em 1982, num jovem homossexual provavelmente infectado em Nova York.

Eu procurava ler todas as publicações sobre aquela doença que envolvia imunodeficiência, infecções oportunistas e câncer, tudo o que mais me interessava na medicina. Havia muitas especulações sobre o agente causador e uma corrida para isolá-lo, descoberta que tornaria possível a criação de um teste laboratorial para identificar as pessoas infectadas e tornar seguras as transfusões de sangue e de fator anti-hemofílico. O centro dessa efervescência científica estava nos Estados Unidos, o país que mais investia em ciência e tecnologia.

No início de 1983, telefonei para o diretor do departamento de imunologia clínica do Memorial Sloan-Kettering, dr. Herbert Oettgen, que estivera no Brasil dois anos antes para conhecer nossa experiência com BCG oral no melanoma maligno. Perguntei-lhe se havia possibilidade de eu fazer um estágio no departamento dele, para ver os casos de aids.

Dias depois, recebi um telegrama que me propunha um estágio de três meses no departamento de imunologia do hospital. Mal acreditei. Quarenta anos atrás, com o dólar nas alturas, o isolamento do Brasil tornava proibitivas viagens internacionais. Só éramos autorizados a comprar cem dólares no câmbio oficial; o resto devia ser conseguido no câmbio negro, por valores que chegavam ao dobro ou mais.

Juntei as economias que consegui e precisei solicitar um empréstimo bancário para comprar a passagem aérea. Enquanto aguardava a aprovação, fui salvo pela generosidade de meu querido amigo Jô Soares. Ele havia gravado um comercial para a saudosa companhia de aviação Varig e recebera como parte da remuneração algumas passagens.

Em 1983, o único aeroporto de entrada e saída do Brasil era o do Galeão, no Rio de Janeiro. Como em São Paulo ainda não existia o aeroporto internacional de Guarulhos, quem saía da cidade para ir ao exterior precisava pegar um avião em Congonhas e fazer a conexão no Rio.

Chovia naquela noite. Ainda taxiávamos na pista do Galeão quando ouvi o aviso: "Sr. Antonio Varella, ao desembarcar apresente-se a um dos comissários de bordo". Achei estranho. Embora fosse meu primeiro nome, ninguém me chamava de Antonio.

O comissário me indicou um homem de terno preto ao lado da escada do avião, junto a uma Kombi da Polícia Federal: "Por favor, apresente-se àquele senhor ali de guarda-chuva".

Ainda vivíamos na ditadura. A sensação de que as garras do aparelho repressor cairiam sobre nós a qualquer momento estava sempre presente. Por que um policial estaria à minha espera numa viatura da Federal?

"Sou Antonio Varella", eu disse quando me aproximei dele.

"Queira me acompanhar, por obséquio."

"Houve algum problema?"

"Não sei. Recebi ordem de buscar o senhor", ele disse enquanto abria a porta da Kombi.

Algo ilegal na minha bagagem? Droga? Livros considerados subversivos eu não carregava. O motorista ia devagar na chuva fina, o caminho parecia interminável. A Kombi estacionou na frente de uma porta pequena. Entramos por ela e seguimos por um corredor estreito sem trocar palavra. Que mal-entendido seria aquele? Perderia o estágio? Em que merda de país eu vivia!

No fim do corredor, viramos à direita e paramos diante de uma porta ampla de madeira. Meu acompanhante tocou a campainha. Atendeu uma funcionária da Varig.

"Sr. Varella? A pedido do sr. Jô Soares, vou levá-lo para a sala VIP."

A enfermaria

A enfermaria de aids era chocante. Os quartos tinham um banheiro pequeno e dois ou três leitos separados uns dos outros por uma cortina azul. Homens de olhos encovados e pele escurecida, como se tivessem apanhado sol, magérrimos, silenciosos, jaziam entre frascos e equipos de soro que pendiam dos suportes metálicos.

Os casos eram semelhantes: desidratação, diarreia debilitante, infecções por fungos, vírus e bactérias oportunistas, além das manchas vermelho-escuras do sarcoma de Kaposi vistas também no rosto. Quase burocráticas, as visitas da equipe médica limitavam-se a duas ou três perguntas, que os doentes respondiam com monossílabos.

Na terapia intensiva a maioria dos leitos era ocupada por pacientes com insuficiência respiratória, sedados, intubados com a sonda da traqueia ligada ao aparelho de ventilação mecânica.

Quando minha primeira visita à unidade terminou, um dos residentes me confidenciou: "Não entendo por que insistem tanto:

antibióticos, antifúngicos, respiradores, em vez de deixar essa gente morrer em paz".

No ambulatório, eu acompanhava o trabalho da dra. Susan Krown, responsável pelo estudo sobre a aplicação de interferon no tratamento do sarcoma de Kaposi. As doses eram altas e os efeitos colaterais intensos: febre, perda de apetite, cefaleia, dores musculares, astenia. As respostas clínicas, infelizmente discretas para justificar tamanha toxicidade.

Na época eu tinha dezesseis anos de formado, doze dos quais em atividade no Hospital do Câncer e experiência em acompanhar pessoas com doenças incuráveis até as fases finais da evolução, mas não estava acostumado a assistir à morte ou à iminência dela em tanta gente jovem.

Nova York havia se tornado o epicentro da epidemia americana. Atraídos pela fama do Sloan-Kettering, chegavam pacientes do país inteiro e até do exterior. Ficavam alojados em pequenos hotéis, muitas vezes sozinhos, até o dia da morte na UTI.

Apesar da dedicação de alguns médicos e da enfermagem, o preconceito era onipresente. Havia pessoas na sala de espera que mudavam de lugar quando um paciente sentava ao lado delas e médicos que não conseguiam disfarçar a má vontade ao atendê-los. Numa das visitas, uma das residentes do departamento me disse em voz baixa: "Não gosto de homossexuais, são muito promíscuos".

Situado no Upper East Side, o hospital atendia à classe média alta de Manhattan. Na clientela havia gente bem-vestida, intelectualizada, formada nas melhores faculdades, artistas, escritores, jornalistas influentes, críticos literários, professores universitários.

No ambulatório, conheci um professor de literatura da Universidade Columbia, colaborador da revista *The New Yorker*, que puxou conversa quando soube que eu era brasileiro. Disse ser apaixonado pelo Rio de Janeiro, cidade que visitara em três carnavais sucessivos, oportunidades que o fizeram achar os brasileiros o último povo feliz no mundo.

Num fim de tarde, depois da consulta com esse professor, nós dois ficamos conversando no ambulatório por tanto tempo que resolvemos ir jantar num restaurante indiano das proximidades.

Em tom coloquial, com a simplicidade do professor tolerante com a ignorância do aluno, ele falou das qualidades literárias de Faulkner, Hemingway, Whitman, Poe e de autores ingleses que eu não fazia ideia de quem eram. Quando nos preparávamos para sair, a conversa foi para o lado da doença que dizimava a comunidade gay da cidade, atribuída por ele à profusão de boates e saunas para encontros fortuitos na escuridão.

"Se você está tão interessado em aids, precisa ir aos lugares onde ela se espalha. Nossos médicos jamais teriam essa curiosidade", ele disse.

Escreveu num guardanapo o endereço de uma casa de espetáculos no SoHo, com bares e boates construídos no interior de um antigo armazém. Fiquei vários dias com esse papel no bolso, até tomar coragem numa sexta-feira à noite. Não gostei do jeito que o taxista me olhou pelo retrovisor quando eu disse para onde ia.

Tive que descer duas quadras antes, para não ficar preso no engarrafamento dos carros que disputavam o espaço das ruas com a multidão que circulava entre eles.

O lugar era um armazém enorme de paredes ocre, com um corredor central lotado de gente que ia e vinha. Ele dava acesso à entrada dos bares e aos salões construídos lá dentro. Num deles, um rock ensurdecedor tocava para jovens vestidos de couro preto com colares, pulseiras e anéis prateados que dançavam numa pista de vidro iluminada por baixo com luzes em arco-íris. Noutro, a decoração era de saloon, os garçons pareciam saídos dos westerns de Sergio Leone, e homenzarrões de calça jeans apertada e bigode vasto falavam alto e se beijavam na boca. Num terceiro ambiente, o bar imitava um templo grego, com uma arena central cheia de almofadões em que homens mais velhos de barba bem aparada estavam sentados na companhia de rapazes bem jovens; nas laterais, camarotes privativos, fechados por cortinas de veludo.

Não tive coragem de entrar numa porta que exibia a inscrição: Anonymous.

Dias depois, quando saí à noite do hospital, ouvi chamarem meu nome no escuro, do outro lado da Primeira Avenida. Era um vulto de chapéu e capote. Chamou de novo e atravessou a rua. Quando a figura abaixou o cachecol que só deixava os olhos de fora, eu o reconheci: era um amigo pintor, que tinha emigrado para estudar arte nos Estados Unidos havia muitos anos.

Falamos um pouco do meu estágio no hospital e do mundo das artes plásticas em Nova York. No final, ele me convidou para jantar com ele e um grupo de brasileiros num restaurante da rua 47. Na mesa todos eram gays. Cerca de dez rapazes de trinta a quarenta anos que zombavam uns dos outros e da própria homossexualidade com humor e sem embaraço. Demos muita risada.

Na hora da sobremesa, meu amigo falou do estágio no Sloan-Kettering e dos doentes que atendíamos na enfermaria. Fiquei chocado com a ignorância deles. Diziam coisas como: "Só se infecta quem não se alimenta bem", "Quem tem cabeça boa não pega". Para os mais negacionistas, a doença sequer existia ou então fazia parte de uma conspiração da administração conservadora do presidente Ronald Reagan para se livrar dos homossexuais.

Eles frequentavam bares, boates e saunas como se o vírus não existisse. Tentei falar das infecções de repetição dos pacientes internados no hospital, mas começou uma discussão política sobre o preconceito contra os homossexuais nas sociedades americana e brasileira. Quando perguntei se não tinham medo de pegar um vírus desconhecido como aquele, apenas dois disseram que sim; os demais afirmaram não estar dispostos a mudar o estilo de vida por causa de uma infecção sobre a qual nem os médicos se entendiam.

Subi a Quinta Avenida sozinho, com passos rápidos para espantar o frio, tomado por um pressentimento terrível: rapazes como aqueles voltariam para o convívio com as comunidades gays dos grandes centros. Não tardariam a aparecer usuários de droga injetável infectados que, ao lado dos bissexuais, transmitiriam o vírus às mulheres, fechando o círculo. Como ninguém tinha percebido?

Naquela noite gelada, tive a sensação de que eu era o único a saber que aconteceria uma tragédia no Brasil.

Na rádio

"Peste gay", diziam as manchetes da imprensa sensacionalista quando surgiram os primeiros casos de aids no Brasil.

Como em muitas epidemias na história da humanidade, a sociedade não teve dificuldade em apontar os culpados pela disseminação do vírus. No caso da aids foram os homens homossexuais. O preconceito contra eles ganhou dimensões terríveis. Para muitos, a doença era uma punição divina a uma forma de sexualidade que consideravam "antinatural", sem se dar conta de que os etologistas do século XX documentaram comportamentos homossexuais em todos os mamíferos estudados e até em pássaros.

Em 1986, fui a Estocolmo assistir a um congresso internacional sobre o HIV. Na última palestra do encontro, o diretor do programa de aids da Organização Mundial da Saúde projetou um slide com uma frase da *Divina comédia*: "No inferno, os lugares mais quentes são reservados àqueles que escolheram a neutralidade em tempos de crise".

Dali fui a pé para o hotel. Era o fim de uma dessas tardes intermináveis do verão sueco, em que uma luz alaranjada cai sobre as construções da cidade velha, lugar pelo qual eu já havia me apaixonado no ano anterior, no estágio que fizera no Instituto Karolinska.

Andei a esmo por pelo menos uma hora com a frase de Dante Alighieri na cabeça. Pensei que vinte ou trinta anos mais tarde uma neta poderia me dizer: "Vô, vocês sabiam que era um vírus sexualmente transmissível, mortal, e não explicavam para a sociedade?".

Em 1983, ao voltar do estágio no Sloan-Kettering, em Nova York, eu escrevera um artigo sobre a doença, que o jornal *O Estado de S. Paulo* publicou em página inteira de uma edição de domingo com grande destaque. Na época, achei que havia cumprido a obrigação de levar a aids ao conhecimento do grande público, pretensão que naquela tarde em Estocolmo me pareceu ridícula.

Dias depois de voltar da Suécia, fui visitar meu inesquecível amigo Fernando Vieira de Mello, que dirigia o jornalismo da rádio Jovem Pan, então a mais ouvida de São Paulo, muito diferente da emissora que se tornaria no futuro. Na nossa conversa, resumi as discussões mais interessantes do congresso em Estocolmo, falei sobre a disseminação rápida do HIV pelos cinco continentes e da gravidade do problema que nos afligiria nos anos que estavam por vir.

Às tantas, ele me interrompeu: "Vamos gravar tudo isso que você está me dizendo". Pegou o telefone e chamou a jornalista Maria Elisa Porchat.

Tomei um susto: naquele tempo, médicos sérios não falavam nos meios de comunicação de massa, e os poucos que o faziam eram cirurgiões plásticos de reputação duvidosa, nos programas vespertinos de baixa qualidade. Mas naquele momento achei que não podia deixar de falar sobre a doença.

No estúdio, gravamos uma longa entrevista na qual descrevi as formas de transmissão do HIV, o quadro clínico da doença e os caminhos que o vírus começava a percorrer no Brasil. Duas ou três semanas depois, encontrei um amigo na avenida Paulista, que disse ter me ouvido na Jovem Pan no dia anterior. Respondi que ele estava enganado, que eu tinha dado a entrevista fazia algumas semanas. Ele insistiu que não.

Assim que nos despedimos, fui ao orelhão mais próximo: "Fernando, você reprisou a entrevista ontem?". Com a voz mais cândida da Paulista, ele respondeu que havia dividido minhas falas em pequenos fragmentos, para transmitir na programação do dia. Não pude acreditar.

"Estou a duas quadras da rádio, vou até aí."

Fernando me explicou que a entrevista tivera ótima repercussão entre os ouvintes, muitos haviam entrado em contato com a redação da emissora para elogiá-la e pedir que fosse repetida. Ele insistiu que, editada em fragmentos, atingiria muito mais gente.

"Você não devia ter feito isso sem falar comigo", eu disse. "Bons médicos não aparecem nos meios de comunicação. Vou ficar mal-afamado entre meus colegas."

Ele respondeu com a frase que abriria um novo caminho na minha vida profissional: "Se é assim, você precisa decidir se quer ajudar a população a evitar a doença ou ficar bem com os seus colegas".

As mensagens que divulgamos pela Pan tiveram grande repercussão nos anos que se seguiram. Em 1990, comecei trabalho semelhante para os adolescentes sintonizados na 89 FM, a Rádio Rock.

Uma tarde, encontrei o Fernando no hall do elevador da Pan. Durante o café que tomamos, ele disse:

"Essas vinhetas sobre a aids são um sucesso na cidade. Um dia você vai fazer esse trabalho na TV Globo."

"Por quê? De onde você tirou essa ideia?"

"Tudo começa no rádio. O que deu certo no rádio acabou na televisão: as novelas, os jornais, os programas de entrevistas, de auditório, os humorísticos, os musicais."

Estávamos em 1988. Recebi o convite para falar de saúde no *Fantástico*, da Rede Globo, em 1999, onze anos depois da premonição do grande Fernando Vieira de Mello, o jornalista que me ensinou os princípios básicos da comunicação de massa. Nas mensagens de saúde que transmito hoje pelo YouTube, Instagram, Facebook e Twitter, procuro seguir o formato idealizado por ele quarenta anos atrás.

Em 1989, fui procurado por Maria Odete Brandalise, uma das acionistas da companhia Perdigão, interessada em que eu gravasse um vídeo educativo sobre aids para exibir na tevê administrada pela família em Santa Catarina e em escolas e unidades de saúde do estado. Expliquei que eu só me interessaria se pudéssemos mostrar os ambientes em que o vírus se disseminava: bares gays, cadeias, inferninhos com garotas de programa, grupos de usuários de cocaína injetável, boates de travestis.

As gravações desse vídeo me levariam à Casa de Detenção de São Paulo, popularmente conhecida como Carandiru, o maior presídio da América Latina.

Na cadeia

A Casa de Detenção era uma cidade incrustada em São Paulo. Inaugurada nos anos 1950 para aprisionar detentos que aguardavam condenação antes de ser transferidos para as penitenciárias do estado, foi expandida nos anos seguintes com a construção de vários pavilhões que chegaram a conter até 9 mil homens. A escassez de vagas nas penitenciárias estaduais obrigava muitos condenados a cumprir penas longas em suas dependências, na companhia de jovens detidos por pequenos delitos, razão pela qual ganhou a fama de primeira escola do crime de São Paulo.

Vem da infância minha atração por filmes de cadeia. A mesma tensão que me eletrizava na cadeira nas matinês dos cinemas do Brás, quando assistia aos filmes de presidiários que planejavam fugas cinematográficas, tomou conta de mim ao entrar na Detenção em 1989. O bater das portas de ferro, os guardas com metralhadora na muralha, os presos de calça cáqui soltos nos pátios, os carcereiros, a enfermaria que visitei, os doentes com aids em fase terminal não me saíram da cabeça nas semanas seguintes.

A ideia fixa me fez voltar à Detenção para sugerir ao diretor,

José Ismael Pedrosa, uma pesquisa sobre a prevalência do HIV no presídio, que se tornaria o embrião de uma atividade de atendimento médico voluntário à população carcerária que mantenho até hoje, vinte anos depois da implosão do Carandiru, ocorrida em 2002.

O trabalho começou com uma pesquisa da prevalência do HIV entre os presos inscritos no programa de visitas íntimas. Consegui seringas, agulhas e tubos de ensaio com colegas do Laboratório Bioquímico, em São Paulo. A coleta ficou a cargo de um grupo de detentos, ex-usuários de cocaína injetável, supervisionados por mim. Nunca tinha visto tamanha habilidade para puncionar veias invisíveis.

Entre os 1492 homens testados, 17,3% eram HIV-positivos. Mais de 90% deles, infectados pelo uso de cocaína injetável — baque na veia, na linguagem marginal.

Minha intenção era mostrar a irresponsabilidade de permitir a entrada de mais de mil mulheres nos finais de semana para manter relações íntimas com parceiros infectados, sem lhes dar qualquer informação e acesso a preservativos.

Quando levei esses dados a diversas autoridades do sistema penitenciário, ouvi a resposta de que seria um absurdo distribuir preservativos gratuitamente para "vagabundo fazer sexo na cadeia". A insensibilidade aos dramas das mulheres infectadas nas visitas se mostrava generalizada. Tive a certeza de que a má vontade era por se tratar de mulheres pobres, além de, em sua maioria, pretas.

Ainda seriam necessários seis ou sete anos para conseguirmos distribuir, regularmente, preservativos nos dias de visita em todos os pavilhões. Até então, quantas mulheres da periferia tinham sido infectadas, quantas crianças ficado órfãs sob o olhar irresponsável da sociedade?

Eu aproveitava os dias de coleta para conversar com os presos e com os funcionários encarregados de vigiá-los. As histórias que ouvi me fizeram entender que se tratava de uma oportunidade única para penetrar fundo naquele ambiente que me fascinava desde a infância.

Nos anos 1980, o desconhecimento a respeito das drogas ilícitas era de tal ordem que cocaína era considerada droga de rico. Os relatos dos presos, no entanto, mostravam que estávamos diante de uma epidemia de cocaína injetável nos bairros periféricos da cidade, em cujo rastro a aids se disseminava.

A cadeia dominou meu espírito. Os presos, os carcereiros, as grades, as celas apinhadas, as histórias de assaltos, vinganças, tiroteios, casos de amor, tentativas de fuga, os doentes com aids e as figuras das mães e das crianças que visitavam os presos invadiam meus pensamentos quando eu menos esperava. Minha mulher disse que nunca me vira tão calado.

Uma noite, quando o estudo estava para terminar, tive dificuldade de pegar no sono. Na sala, em silêncio, pensei que a cadeia era o lugar ideal para convencer os usuários a abandonar a cocaína injetável. Como encontrá-los nas ruas? Se fosse possível convencê-los de que injetar droga na veia significava risco alto de contrair o HIV e morrer de aids na cadeia, ao ganhar a liberdade eles levariam essa mensagem para os jovens e as crianças de suas comunidades.

Dias depois, propus ao diretor da Detenção iniciar um programa de palestras para os presos, para falar de prevenção à aids. A resposta foi um balde de água fria:

"Doutor, entendo sua intenção, mas é ingenuidade. Quem toma baque na veia chegou no último degrau da autodestruição. O senhor acha que vão parar só porque o senhor aconselhou? Eles não têm mais nada a perder."

"Têm a vida", respondi.

Desse dia até a implosão do Carandiru, realizada em 2002, fiz palestras semanais que reuniam de trezentos a quatrocentos homens num salão enorme, onde um dia funcionou um cinema destruído numa rebelião do passado.

Como resultado desse trabalho, em dois anos acabou a moda de injetar cocaína na veia. Nunca mais foi achada uma seringa sequer nas dependências do presídio. Em pouco tempo a cocaína injetável também desapareceu da periferia de São Paulo.

O que eu não previra foi que surgiria o crack para ajudar a varrer o baque do mapa e se disseminar pelo país como epidemia de consequências trágicas.

O convívio com os presos nas palestras tornou inevitáveis as consultas que me faziam na saída. Em pouco tempo, formavam-se filas à minha espera. Alguns tinham problemas simples: infecções de pele, dor de garganta, conjuntivite, diarreia, resfriado comum. Outros, ao contrário, apresentavam as infecções oportunistas da aids: candidíase oral avançada, pneumonia, herpes-zóster, febre alta, queda do estado geral, tuberculose, debilidade física. Queixavam-se de que os médicos da casa não lhes davam atenção. Em pé, no corredor, sem um simples estetoscópio para ajudar, o máximo que eu conseguia fazer era dar orientações gerais e prescrever num pedaço de papel o medicamento que deveriam conseguir ou pedir para a família trazer no dia de visita.

Hesitei em propor à direção passar uma tarde por semana como médico voluntário na enfermaria. Prometi que ficaria seis meses, porque tive medo de criar mais uma obrigação fixa num momento em que a prática da medicina já consumia todo o meu tempo disponível.

Em 2019, completei trinta anos como médico voluntário no sistema prisional de São Paulo. Em 2002, quando a Detenção foi implodida, passei a atender na Penitenciária do Estado, onde permaneci até que o presídio construído pelo arquiteto Ramos de Azevedo nos anos 1920 fosse transformado em penitenciária feminina em 2005, para albergar o número crescente de mulheres que entravam no sistema pela rota do tráfico. Depois de quase um ano atendendo num dos Centros de Detenção Provisória da capital, voltei para a penitenciária, agora ocupada por mais de 2 mil mulheres. Permaneci na penitenciária feminina até 2020, quando chegou a pandemia do coronavírus.

Em 2022, voltei aos presídios masculinos, dessa vez como voluntário de outro Centro de Detenção Provisória, o do Belém, onde mais de mil detentos aguardam condenação. No momento em que escrevo, sou o único médico da cadeia. Não é fácil contratar profissionais dispostos a trabalhar no sistema penitenciário.

A natureza desse trabalho, descrevi nos livros *Estação Carandiru*, *Carcereiros* e *Prisioneiras*, trilogia que resume a experiência de três décadas de atividade clínica, as histórias que ouvi e o cotidiano dos personagens nesses presídios.

Hoje agradeço a clarividência e a determinação que tive com 47 anos de idade ao enveredar por esse caminho. Impossível imaginar quem eu seria agora não fosse o contato com esse mundo que transformou minha vida pessoal, a forma de entender a sociedade e o país em que vivo, e, mais do que tudo, as paixões humanas e o impacto da minha profissão no imaginário das pessoas. Foi no Carandiru que entendi a abrangência da dimensão humana da medicina.

A tendência natural é a de nos aproximarmos de gente semelhante a nós. Se possível, da mesma faixa etária, classe social, situação financeira, posições políticas e gostos parecidos com os que temos. Se usarem roupas do estilo das nossas, votarem nos mesmos candidatos e torcerem para o mesmo time, melhor. Entre elas, ficamos à vontade, seguros da aceitação do grupo e confiantes de que nossos comportamentos e estilo de viver jamais serão questionados.

Como a busca do semelhante e a rejeição ao estranho não deixam espaço para o novo, o surpreendente e o contraditório, corremos o risco de nos aferrar a princípios rígidos, a ideias preconcebidas, ao julgamento das ações alheias segundo o binário certo/errado e a considerar ameaçadora qualquer visão do mundo divergente da nossa. As consequências são a perda da empatia, o desinteresse pelo outro, o conformismo, a falta de ousadia para afrontar normas sociais, o medo de mudanças e a adoção do comportamento de rebanho.

Naquela época, já com mais de vinte anos de formado, eu havia me empenhado em acompanhar os avanços da oncologia, tarefa que exigira estudar continuamente, ir a congressos, fazer estágios em centros médicos do exterior e me dedicar aos pacientes que acompanhava na clínica particular e nas enfermarias do Sírio-Libanês, hospital que dispõe da melhor tecnologia e de um corpo clínico de qualidade, requisitos importantes para o bom exercício da profissão.

Na cadeia, em contrapartida, não contávamos sequer com um aparelho de raio X. Exames laboratoriais podiam ser solicitados, mas não havia segurança de que seriam colhidos e muito menos de que os resultados chegariam às minhas mãos. Acostumado a contar com a ajuda de colegas de outras especialidades, suporte hospitalar para os casos graves, enfermagem qualificada, exames de imagem e drogas modernas, dei de cara com a necessidade de exercer a profissão como os clínicos gerais de gerações anteriores, que só contavam com o estetoscópio e uma cesta básica de medicamentos. Eu não estava preparado para aquele trabalho.

Praticar medicina em condições tão precárias me obrigou a estudar dermatologia, moléstias infecciosas, pneumologia, cardiologia e outras especialidades das quais me achava afastado desde os bancos escolares. O esforço maior, entretanto, não foi voltar aos tratados de clínica, mas aos manuais de propedêutica, prática que compreende o conjunto de dados obtidos através da história da moléstia atual, da observação e do exame físico para chegar ao diagnóstico sem depender de procedimentos específicos.

Percebi que era possível atender razoavelmente trinta, quarenta pacientes em cinco ou seis horas, desde que fixasse o olhar nos olhos deles e ouvisse as queixas, intervindo para evitar divagações e perda de objetividade, fizesse as perguntas certas e um exame físico sumário, mas atento. É evidente que cometia mais erros do que se dispusesse de tempo, imagens e recursos laboratoriais. Para ter a possibilidade de corrigi-los, marcava para a semana seguinte o retorno dos casos mais graves e daqueles que tinham me deixado inseguro. A maioria dos erros médicos acontece pela falta de acompanhamento, para avaliar o que deu certo ou errado na conduta escolhida.

A lição mais importante que aprendi foi a de que medicina é uma profissão que depende das mãos para ser exercida. Sem o exame físico, a intervenção médica não se completa. Ainda que o diagnóstico possa ser feito ao ouvir as primeiras queixas, é necessário examinar a pessoa doente, caso contrário ela ficará frustrada. É no contato das mãos com o corpo do paciente que se materializa a arte da medicina.

A queixa "O médico nem me examinou", cada vez mais frequente na prática atual, era regra naquele lugar. Quando o preso chegava revoltado com o descaso, com a falta de acesso à enfermaria e aos medicamentos prescritos e com a precariedade da cela em que se encontrava, o melhor era ouvi-lo em silêncio. Em seguida, em tom autoritário, eu o mandava tirar a camisa e ficar de costas para auscultá-lo. Eles estranhavam, alguns pediam para repetir a ordem — nos presídios muitos médicos atendem os pacientes a dois metros de distância.

No final do exame físico, quando o doente se virava de frente, seu olhar era dócil, comovido até. A transformação era tão evidente que uma vez ouvi um dos presos comentar em voz baixa com um companheiro: "O doutor ganha o ladrão com as mãos".

O mundo do crime

O trabalho no Carandiru me aproximou do universo marginal. Lá, conheci a morte por violência. Perdi a conta de quantos chegaram até mim esfaqueados, asfixiados com sacos plásticos, enforcados em lençóis, estuprados em sessões de torturas para castigar estupradores, categoria de homens odiada pela massa carcerária. Os piores horrores a que assisti na enfermaria foram consequência das perversidades perpetradas contra eles.

Nos treze anos de voluntariado na Detenção, devo ter examinado mais de trinta ou quarenta corpos jovens banhados em sangue que vinham para constatação sumária do óbito, exigência legal antes do encaminhamento para autópsia no Instituto Médico Legal. Num deles, quando anotei a quinquagésima facada, interrompi a contagem, com receio de me confundir.

Aqueles que ainda chegavam com vida deixaram as memórias mais duradouras. Nem tanto por causa dos ferimentos, mas pelo pavor estampado no olhar. Impossível apagar essas imagens. Elas emergem até hoje quando menos espero: na hora de uma refeição, antes de pegar no sono, num aniversário em família, na cama com minha mulher.

Uma vez, fui chamado para atestar um óbito num dos pavilhões. Perguntei ao funcionário se o corpo não poderia ser trazido ao térreo do pavilhão da enfermaria, como o habitual, para não interromper por muito tempo o atendimento da fila que aguardava.

"É um caso especial, doutor", explicou ele.

Na entrada do pavilhão havia uma roda compacta com os olhos dirigidos para uma poça de sangue. No centro, jazia um corpo decapitado, a cabeça jogada numa lata de lixo, a poucos metros. Fiquei calado como eles. A presença da morte impõe um silêncio contemplativo nos circunstantes.

Não sei por quanto tempo ficamos imóveis até a chegada de um preso franzino que caminhou em direção à lata de lixo, pegou a cabeça com as mãos, beijou-a na testa e abriu passagem entre os companheiros. Eu o conhecia, era um rapaz que cuidava do terreiro de umbanda do pavilhão. Ele foi até o corpo, acomodou a cabeça na poça de sangue junto ao pescoço, ajoelhou, cruzou as mãos do morto sobre o peito, murmurou uma oração inaudível, persignou-se, levantou e saiu de cabeça baixa na direção da galeria.

Ao lado dessa violência, entretanto, havia uma ordem interna com leis que só consegui entender melhor quando me interessei pelos estudos dos biólogos evolucionistas que revolucionaram a primatologia nas últimas décadas do século xx, especialmente com as publicações de Frans de Waal e Richard Wrangham e os estudos conduzidos pelos pesquisadores japoneses em colônias de chimpanzés.

Em 1962, com o título "Densidade populacional e patologia social", John Calhoun descreveu um experimento que se tornaria célebre, no qual aumentava progressivamente o número de ratos no interior de uma gaiola. O aumento da população tornava-os agressivos, capazes de atacar e de devorar os demais.

No final, com a gaiola apinhada, os ataques sexuais e as mortes se multiplicavam, bem como a ferocidade das lutas em defesa de posições privilegiadas junto à vasilha com comida colocada na parte central, embora houvesse acesso fácil aos comedores dispostos nos cantos da gaiola. O autor concluiu que a superpopulação coloca o indivíduo e o sistema social sob estresse, mecanismo responsável pela eclosão da violência.

A experiência teve grande impacto entre os estudiosos do comportamento. Como evitar comparações entre a "gaiola comportamental" de Calhoun e os episódios de violência que eclodiam nas grandes cidades nos anos 1960?

Desde então, densidade populacional elevada passou a ser considerada quase um sinônimo de violência urbana, e a gaiola dos ratos citada como argumento decisivo para justificar a relação direta entre as duas situações. Parece que ninguém levou em consideração que Tóquio, cidade com uma das mais altas concentrações urbanas, estava entre as mais seguras do mundo.

Em meados dos anos 1990, li um relato em que Frans de Waal descrevia as observações de campo realizadas numa colônia de chimpanzés. Primatas de origem africana como nós, pouco resistentes ao frio, os chimpanzés que viviam em liberdade numa ilha da colônia eram recolhidos para passar o inverno em área com calefação, cujo espaço correspondia a 5% daquele desfrutado quando soltos.

O acompanhamento mostrou que, agrupados no inverno, os animais se tornavam mais tensos e irritadiços, porém menos violentos. As consequências da redução de espaço físico nem de longe lembravam a brutalidade dos enfrentamentos e os ataques sexuais dos ratos da experiência de Calhoun. Primatas em cativeiro não se comportam como roedores.

Fiquei tão fascinado com as semelhanças comportamentais entre os grandes primatas (orangotangos, gorilas, chimpanzés, bonobos e seres humanos), que as resumi no livro *Macacos*, o primeiro da coleção Folha Explica, editada pela Publifolha.

A analogia com a cadeia foi imediata. Embora numerosas dentro do presídio, as mortes seriam mais frequentes se aqueles 7 mil homens estivessem nas ruas, envolvidos em disputas territoriais por pontos de drogas, vinganças pessoais e desentendimentos fúteis.

No Amarelo, do Pavilhão Cinco, com celas superlotadas daqueles marcados para morrer, sem possibilidade de sair de cubículos de dois por três metros que chegavam a conter seis ou sete homens, dia e noite espremidos, nunca vi nem soube de assassinatos. Eles ocorriam principalmente nos pavilhões menos populosos, em que os presos se movimentavam com mais liberdade.

Nas colônias de chimpanzés ou nas celas de uma prisão, o aumento da densidade populacional gera duas consequências imediatas: 1) a força física perde a primazia nas relações de poder. Na rua, o mais forte agride o fraco e vai embora sem enfrentar consequências; na cadeia, o revide pode vir quando menos se espera; 2) o comportamento social passa a ser regido por um código penal de aplicação imediata que só admite três punições: desprezo social, agressão física ou pena de morte.

É curioso ver como esse conjunto de leis prevê, nos mínimos detalhes, todas as situações que ocorrem no dia a dia, sem haver necessidade de uma linha escrita sequer. Por exemplo, a obrigatoriedade de abaixar os olhos ao passar por uma visita do sexo feminino, seja irmã, mãe, namorada ou esposa de um companheiro; andar pelo pátio em dia de visita com o botão do colarinho desabotoado é permitido, mas não com o segundo botão; mandar um companheiro ou companheira calar a boca é proibido, ainda que de brincadeira.

É impossível ter ideia dos valores morais de uma sociedade sem conhecer o pronto-socorro dos hospitais públicos, os hospitais psiquiátricos e as prisões. É nessas instituições que a desigualdade social expõe sua face mais perversa.

Em 2020, numa live, um líder comunitário da Central Unificada das Favelas (Cufa) me fez uma pergunta que começava com a frase: "O senhor, que trabalha em favelas há mais de trinta anos...".

Eu o interrompi para explicar que o meu trabalho era em cadeias. Ele respondeu: "O que é a cadeia senão uma extensão da favela, para onde os favelados vão e voltam?".

Em sua origem, construídas para prender escravos, as prisões brasileiras preservaram sua vocação elitista. Nas que frequentei em São Paulo e nas que visitei pelo país, não encontrei um único prisioneiro oriundo das camadas mais ricas da população, realidade que levou um ex-diretor da Detenção a colocar na parede de sua sala uma placa de bronze com os dizeres: "É mais fácil um camelo passar pelo buraco de uma agulha do que um rico entrar preso na Casa de Detenção".

Muitas pessoas têm consciência de que a pobreza humilhante em que vivem milhões de brasileiros é fator de risco para a violência urbana. Reconhecer essa realidade na teoria é nada comparado ao convívio com mulheres e homens que enveredaram pelos caminhos do crime.

Num mês de atendimento na cadeia aprendi mais sobre a desigualdade, a perversidade da distribuição de renda, o preconceito contra os pretos e as pretas, as dificuldades dos mais pobres para melhorar de vida, a discriminação e os abusos sofridos pelas crianças e as mulheres brasileiras do que em anos de viagens pelo país e em tudo que li sobre a organização social brasileira.

Mas o aprendizado maior foi com a proximidade das paixões humanas que afloram entre pessoas confinadas: ódio, generosidade, empatia, medo, perversidade, sadismo, altruísmo, compaixão, inveja, amor.

Impossível imaginar como eu seria com quase oitenta anos não fosse o impacto dessa experiência.

A biotecnologia

Fiquei encantado com as técnicas de manipulação de DNA desenvolvidas a partir das últimas décadas do século XX. Entendi que entrávamos em outra era com possibilidades inimagináveis: a da transgenia.

Partindo da constatação darwiniana de que todos os seres vivos descendem de um ancestral comum e das demonstrações de que seus genes são formados pelas mesmas moléculas, ficava claro que seria possível introduzir ou retirar genes de bactérias, fungos, vegetais e animais para atender aos nossos interesses em produzir medicamentos, animais de raça apurada ou obter espécies de vegetais transgênicos com crescimento rápido, resistência às pragas e colheitas mais abundantes para alimentar uma população mundial cada vez mais numerosa.

Em 1988 visitei, na cidade japonesa de Kamakura, uma fábrica de interferon, proteína envolvida na resposta imunológica, na época empregada no tratamento da hepatite C e de alguns tipos raros de câncer.

Entrei nas instalações com a sensação de quem penetra o

futuro: tanques grandes de fermentação em que se multiplicavam bactérias-escravas (*Escherichia coli*), nas quais haviam introduzido o gene humano responsável pela produção de interferon. Ao multiplicar-se nos tanques, a maquinaria genética das bactérias fazia a leitura do gene alienista que lhes ordenava fabricar interferon idêntico ao humano.

Por um emaranhado de tubos metálicos que entravam e saíam dos recipientes de aço inoxidável, o produto final era separado do conteúdo dos tanques, para gotejar purificado na extremidade das tubulações.

O brilho reluzente dos tanques, os macacões impecavelmente brancos dos técnicos silenciosos que controlavam os computadores, as câmaras estéreis, tudo transmitia a sensação de que a biotecnologia nos levaria a uma nova era na biologia, com repercussões imprevisíveis para a prática da medicina.

Senti que, se não acompanhasse os avanços nessa área, em pouco tempo seria incapaz de entender os caminhos que as ciências biológicas tomariam no século que se aproximava. Fiz a assinatura das duas revistas mais importantes no mundo científico — a americana *Science* e a inglesa *Nature* — e me inscrevi em congressos internacionais que abordavam a ciência básica necessária para o desenvolvimento da biologia molecular.

No ambiente médico brasileiro, no entanto, a biotecnologia era ignorada. Com exceção de um ou outro colega mais estudioso, eu não conseguia falar com ninguém sobre os artigos que lia. Os alunos saíam das faculdades sem ter noção dos avanços que revolucionariam a biologia.

No início de 1992, decidi organizar um congresso para discutirmos o impacto mais imediato que a oncologia e a aids teriam com a biotecnologia. A pandemia da aids se disseminava sem controle nem vacina nem medicamentos eficazes. Levei o projeto à Universidade Paulista, que o aprovou sem restrições.

Achei que a única forma de atrair atenção seria conseguirmos trazer grandes nomes da ciência mundial. Ousei pensar no dr. Robert Gallo, o cientista que havia demonstrado ser o HIV o causador da aids, passo fundamental para explicar a doença e obter o teste que permitiria identificar quem estivesse infectado pelo HIV, avanço que tornou possível fazer diagnósticos precoces e garantir a segurança das transfusões de sangue e do fator anti-hemofílico, que reduziu a zero os novos casos em homens com hemofilia.

Envolvido numa disputa internacional com o grupo do virologista francês Luc Montagnier, do Instituto Pasteur, de Paris, Gallo era um personagem controverso: de um lado, o cientista talentoso que revolucionara o campo dos retrovírus; de outro, o cientista acusado de se apropriar indevidamente da primazia do isolamento do vírus, realizado no Instituto Pasteur. A polêmica dividia o mundo científico e ganhara as páginas da imprensa internacional.

O mérito do grupo francês era inegável: tinha conseguido isolar um retrovírus dos linfonodos cervicais de um paciente com linfonodos aumentados, característicos da aids. A dúvida era se esse retrovírus seria, de fato, o causador da deficiência imunológica que levava às infecções de repetição e ao câncer, ou apenas outro germe oportunista que se aproveitava da imunodepressão causada por outro agente não identificado.

Até o fim dos anos 1970, não fora isolado um retrovírus sequer em doenças humanas. Muitos achavam que as infecções provocadas por eles ficavam restritas aos casos de leucemias em aves, gatos, camundongos e outros animais. A dificuldade em isolá-los era conseguir estabelecer culturas de linfócitos com duração suficientemente longa para que os retrovírus tivessem tempo de se multiplicar no interior dessas células no tubo de ensaio. Colocados em meios de cultura apropriados, os linfócitos se multiplicavam, mas morriam em poucos dias, prazo insuficiente para que os retrovírus semeados no meio pudessem se estabelecer.

Em 1980, o grupo de Gallo, nos laboratórios do National Cancer Institute, encontrou o fator capaz de estimular a multiplicação de linfócitos em cultura por tempo indeterminado. Batizada de TCGF (T Cell Growth Factor, mais tarde interleucina 2), a descoberta levou ao isolamento de dois retrovírus, o HTLV1 e o HTLV2, causadores de linfomas e leucemias em seres humanos, entre outras enfermidades.

Quando a aids surgiu em 1981, a suspeita de que seria causada por um retrovírus ainda desconhecido levou os mais destacados virologistas a se empenhar em isolá-lo nos pacientes com a doença. Várias amostras obtidas foram encaminhadas para estudos no laboratório de Gallo, o mais preparado para conduzi-los. Entre elas, a que havia sido isolada pelo grupo de Montagnier, que não teve a autoria reconhecida nos trabalhos publicados pelo grupo de Gallo, causando uma das grandes controvérsias da história da ciência.

Hoje está claro que os descobridores do HIV foram os pesquisadores do grupo de Montagnier (que recebeu o Nobel pela descoberta). Mas o responsável pela comprovação de que aquele era o vírus causador da doença de fato foi o grupo de Gallo.

Quando, em 1992, pensei em organizar o congresso, a polêmica estava no auge. Telefonei ao meu amigo Ronald Bukowski, para saber da possibilidade de a Cleveland Clinic, onde ele chefiava o grupo de câncer renal, entrar como parceira da conferência.

Passados dois dias, ele confirmou que a parceria havia sido aprovada, mas que teríamos dificuldades: "Você sabe, o Brasil está fora do circuito científico internacional. Não será fácil encontrarmos pesquisadores de alto nível dispostos a encaixar uma viagem ao Brasil na agenda deles. A não ser que você consiga oferecer a visita a uma praia ou a outro ponto turístico no final do congresso".

No dia seguinte, telefonei para Bukowski: "O que você acha de organizarmos uma viagem de barco pelo rio Negro, no coração da floresta amazônica? A Unip tem um barco-escola na região".
"Posso convidar o presidente Bush?"
"Não, mas vamos tentar o Robert Gallo?"
Uma semana depois, Bukowski me ligou para dizer que os vinte pesquisadores convidados haviam aceitado vir, entre eles Robert Gallo, que fez uma única exigência: trazer a esposa Mary Jane.

Dois meses antes do congresso, Ronald Bukowski e eu viajamos para Manaus. Era preciso conhecer as instalações disponíveis no barco e preparar a logística para receber os visitantes.

Tomei um choque quando chegamos às margens do rio Negro: eu nunca tinha visto beleza tão grandiosa. É fácil imaginar um riacho de águas escuras no Japão, com uma pontezinha arqueada de madeira, mas aquela imensidão de águas plácidas a perder de vista, com superfícies que espelhavam as nuvens e refletiam como imagens virtuais as margens da floresta, era tão surpreendente que senti vergonha: como eu tinha viajado para tantos países antes de conhecer a Amazônia? Naquele dia decidi que voltaria à região. Só não imaginei que seriam mais de cem vezes nos trinta anos seguintes.

O congresso aconteceu em São Paulo, mas chegou a vinte cidades brasileiras. Naquela época, sem internet, transmitimos as conferências para vinte anfiteatros da Empresa Brasileira de Telecomunicações (Embratel), onde os presentes podiam interagir com os conferencistas em tempo real, por telefone.

O evento atraiu mais de mil participantes e muita atenção dos principais órgãos de imprensa, interessados em ouvir e entrevistar o dr. Robert Gallo.

No rio Negro, os conferencistas ficaram alojados no *Escola da Natureza*, um barco-gaiola da Unip, típico dos rios amazônicos. Num fim de tarde, eu estava sentado sozinho no convés, enquanto navegávamos junto à margem. O dr. Gallo puxou uma cadeira para sentar a meu lado.

"Drauzio, a biodiversidade aqui é visível. O barco passa por uma árvore, e você só volta a ver outra da mesma espécie centenas de metros depois. É muito diferente das florestas homogêneas dos Estados Unidos ou da Europa, com uma dúzia só de espécies."

Eu disse a ele que em algumas regiões existiam mais de duzentas espécies diferentes de árvore em cada hectare (cem metros por cem metros), enquanto na maioria das florestas americanas e europeias esse número mal chegava a vinte.

"Aqui no Brasil, há estudos sistemáticos para identificar atividade farmacológica nessas espécies?"

Respondi que havia pesquisas isoladas, desenvolvidas nas universidades, mas nenhum estudo para testar um grande número de espécies. Ele acrescentou: "A riqueza dessa diversidade deve ser enorme, mas sem pesquisas científicas para estudá-la será difícil manter a floresta em pé".

Entre cientistas

Esses dias no barco me aproximaram do casal Gallo. Ela, bem americana, na época perto dos sessenta anos, loira, de traços delicados e sorriso aberto, encantou todos nós com seu espírito bem-humorado e observador. Ele, divertido, curioso por tudo o que falávamos a respeito de ciência e da Amazônia, estava visivelmente descontraído com a trégua da tormenta que enfrentava nos Estados Unidos.

Na despedida, os dois me agradeceram pelos dias tranquilos que havia muito não viviam. Em retribuição, ele fez um convite irrecusável para que eu participasse, na cidade de Bethesda, da conferência anual do laboratório que ele dirigia no NCI.

Por mais de dez anos, frequentei essa conferência anual exclusiva para convidados. No decorrer de uma semana, ela reunia os mais destacados líderes mundiais nas pesquisas sobre aids e vírus causadores de tumores malignos, além de cientistas que iam falar de ciências básicas, áreas sem nenhuma relação direta com a clínica. Por exemplo: como as proteínas se dobram para sair do interior das células; que caminho certas moléculas percorrem no citoplasma para chegar ao núcleo; qual o papel de determinado gene na imunidade das drosófilas, as mosquinhas que sobrevoam bananas maduras.

Esses encontros me ofereceram a oportunidade de conhecer grandes cientistas, alguns dos quais ganhadores do prêmio Nobel, além de outros que mais tarde viriam a recebê-lo. Também deram origem a convites para fazer palestras em centros universitários e assistir a conferências que me alargaram os horizontes do universo científico e me mostraram a organização e a relevância da ciência norte-americana.

Numa palestra no encontro anual de 2000, um pesquisador do Instituto Max Planck, da Alemanha, apresentou uma tabela publicada na revista *Science*, na qual constavam os investimentos anuais em pesquisas sobre aids dos principais países. Se bem me recordo, os números variavam de 12 milhões de dólares na Espanha a 32 milhões no Reino Unido. Na última linha estava o investimento americano daquele ano: 780 milhões de dólares.

A meu lado, um pesquisador da Universidade de Louvain, na Bélgica, comentou: "Estamos brincando de fazer pesquisa na Europa".

As conferências sobre ciência pura me trouxeram mais prazer do que os congressos médicos de oncologia, que a prática da especialidade me obriga a frequentar. Embora possam ter aplicação imediata, as discussões e os estudos na área clínica são bem menos desafiadores.

Passar quatro ou cinco dias sozinho, recluso num hotel, acordando bem cedo para correr pelas redondezas, tomar banho, café, descer para a sala de conferências e passar o dia com as pernas cansadas, ouvindo cientistas descrever pesquisas às quais dedicam suas vidas, é um privilégio e um grande prazer intelectual.

Numa das conferências do laboratório de Gallo, durante um jantar sentei ao lado do professor Hilary Koprowski, na época com mais de noventa anos, um dos descobridores da vacina da poliomielite, com Salk e Sabin.

Por gentileza, ele me perguntou de onde eu era. Quando respondi, ficou em silêncio como se tivesse perdido o interesse. Depois de um tempo, virou-se para mim: "Mundo, mundo, vasto mundo, se eu me chamasse Raimundo, seria uma rima, não seria uma solução".

Polonês refugiado na Itália durante a Segunda Guerra, Koprowski veio para o Rio de Janeiro, contratado pela Fundação Rockefeller, antes de emigrar para os Estados Unidos, onde desenvolveria a primeira vacina de vírus atenuado contra a pólio. Dias depois ele me contou com detalhes a história da descoberta e do desenvolvimento da vacina que livrou as crianças da paralisia.

Em 1999, foi feita uma homenagem a um dos frequentadores mais ilustres da conferência: Maurice Hilleman, pesquisador americano que completava oitenta anos, depois de uma longa carreira nos laboratórios da farmacêutica Merck.

Pouco conhecido dos leigos, Hilleman mereceria uma estátua em praça pública de todas as cidades do mundo por ter sido o cientista que mais contribuiu para a descoberta de vacinas. Foram quarenta, entre elas algumas que salvaram milhões de vidas: sarampo, caxumba, rubéola, hepatites A e B, meningite, pneumonia, *Haemophilus influenza.*

A vacina da caxumba foi obtida por um método que jamais seria aceito pela legislação atual: Hilleman colheu o vírus da garganta da própria filha doente para cultivá-lo no laboratório. Em quatro anos a vacina estava pronta, tempo recorde só quebrado pela vacina contra a covid-19 em 2020.

Hilleman era um homem alto e forte que fazia suas apresentações com voz firme e gestos ágeis. Eu, que na época não estava habituado a ver pessoas de oitenta anos em plena atividade profissional, perguntei a ele, num café da manhã em que nos sentamos à mesma mesa, que tipo de exercícios ele fazia para manter aquela forma física invejável.

"Até os dez anos, eu brincava e corria nas ruas da minha cidade, em Montana, depois nunca mais."

Em 1996, Gallo foi para o recém-criado Institute of Human Virology, na cidade de Baltimore, o primeiro centro a combinar as disciplinas de ciências básicas, epidemiologia e pesquisas clínicas sobre uma variedade de doenças virais e transtornos imunológicos. As conferências anuais passaram, então, a acontecer nessa cidade.

Naquele ano, Gallo organizou uma grande conferência para comemorar a inauguração do instituto. Três dias de palestras sobre os enormes desafios da ciência: como a inteligência artificial seria capaz de aprimorar os processos cognitivos cerebrais, como desviar um asteroide em órbita de colisão com a Terra, além das perspectivas futuras de diversas áreas da medicina.

Numa das noites, saímos para jantar com um grupo de cientistas num restaurante italiano de Baltimore. A mesa começou formal e silenciosa, falávamos sobre os trabalhos e as ideias discutidas na conferência. À medida que traziam as garrafas de vinho, o tema se desviou para os bastidores do mundo científico. No final, já estávamos rindo muito. Na hora de voltar ao hotel, fomos divididos entre os que estavam de carro. Um neurologista da Universidade da Pensilvânia, que sentara na minha frente durante o jantar, insistiu que eu fosse com ele.

Era um conversível esportivo de apenas dois lugares, que ele havia alugado para realizar um sonho da adolescência: dirigir um carro como aquele, capaz de atingir a velocidade de cem quilômetros por hora em dez segundos — talvez menos, não lembro bem. Saímos pelas avenidas vazias da periferia de Baltimore como se estivéssemos num autódromo, com pneus cantando nas curvas.

Enquanto ele descrevia o prazer de dirigir aquela máquina, eu não tirava os olhos do asfalto, morto de medo.

Foi um alívio quando chegamos ao hotel. O piloto intrépido era Stanley Prusiner, o primeiro a descrever os príons, classe de proteínas infecciosas capazes de reproduzir-se por conta própria, envolvidas na origem de diversas enfermidades neurológicas degenerativas, entre as quais a que ficou conhecida como "doença da vaca louca". No ano seguinte, Prusiner receberia o prêmio Nobel.

Nas conferências anuais, as aulas magnas apresentadas por cientistas com as contribuições mais relevantes duravam uma hora; as demais, quinze minutos. Quando sugeri a Gallo reduzir o número de apresentações, para dar mais tempo a cada expositor, ele foi seco: "Quem não consegue explicar sua linha de pesquisa em quinze minutos não sabe o que está fazendo".

Na manhã do dia 11 de setembro de 2001, enquanto assistíamos a uma das palestras, um membro da equipe técnica que organizava o evento se aproximou de Gallo, na presidência da mesa, cochichou alguma coisa em seu ouvido e se retirou.

Assim que a exposição terminou, Gallo pegou o microfone: "Um avião atingiu as Torres Gêmeas em Nova York, possivelmente um ataque terrorista. O objetivo dessa gente é nos paralisar. Não vamos deixar que consigam".

Em seguida, chamou o expositor seguinte, que falou durante os quinze minutos que lhe cabiam. Quando o último slide foi apresentado, Gallo voltou ao microfone: "O ataque foi mais destruidor. A segunda torre foi atingida por outro avião. As duas colapsaram. Vamos fazer um intervalo, para aqueles com parentes em Nova York telefonarem para casa. Voltaremos em uma hora. Sem atrasos, por favor".

Saímos da sala e paramos diante dos televisores que os funcionários do hotel tinham colocado no saguão de entrada. As imagens reprisavam o choque dos aviões contra as Torres Gêmeas, seguido dos desabamentos.

As vinte ou trinta pessoas que rodeavam o aparelho do qual me aproximei permaneciam imóveis. Um epidemiologista da Universidade da Califórnia disse em voz baixa "*Oh, no*" ao ver a imagem da segunda colisão. Ao lado, uma infectologista de Boston tirou da bolsa um lencinho branco e enxugou as lágrimas.

Uma hora depois, a conferência era reiniciada, pontualmente.

Projeto Rio Negro

Estudar a atividade farmacológica de plantas amazônicas. A observação de Robert Gallo me perseguiu por várias semanas. Se mais da metade dos medicamentos à venda no mercado era derivada de plantas, por que no país com a floresta mais diversa do mundo faltavam pesquisas de bioprospecção?

Achei que a Unip reunia condições materiais para desenvolver um projeto com essa finalidade: instalações, um centro universitário, recursos financeiros e um barco-escola no rio Negro, que podia ser usado para as coletas. Só faltava alguém para correr atrás da ideia. Achei que essa pessoa poderia ser eu, mas havia um obstáculo: não entendia nada de bioprospecção.

A primeira providência foi telefonar para um colega oncologista, Gilberto Schwartzman, chefe de um grupo em Porto Alegre que pesquisava a atividade antitumoral em plantas colhidas na região Sul. Gilberto descreveu o trabalho que faziam, a necessidade de laboratórios e de financiamento, as dificuldades práticas e como conseguiam contorná-las. Sugeriu que eu entrasse em contato com o Natural Products Branch, do National Cancer Institute (o NCI), localizado em Frederick, nas proximidades de Washington, o maior centro mundial de pesquisas nessa área.

Sem internet na época, o recurso foi telefonar. Eu disse que estava interessado em montar um laboratório numa universidade para estudar a atividade farmacológica de plantas amazônicas e perguntei com quem poderia falar.

Para minha surpresa, Gordon Cragg, o diretor-geral do centro, veio ao telefone. Depois de me ouvir, ele explicou que essa questão no Brasil estava muito politizada, que qualquer proposta de pesquisa internacional era imediatamente acusada de biopirataria e que os pesquisadores se recusavam a participar de estudos com os brasileiros; preferiam trabalhar nos projetos científicos desenvolvidos nas florestas tropicais da Colômbia e da Costa Rica, ambientes mais amigáveis.

Já me preparava para agradecer e desligar, quando ele acrescentou: "Se você precisar treinar cientistas nas nossas instalações, estaremos à disposição; só não poderemos arcar com bolsas de estudo".

Levei o projeto para a Unip. Em dois meses, Ivana Sofredini, jovem farmacêutica formada pela USP, viajava para um estágio em Frederick.

No final desse estágio, me juntei a Ivana em Frederick para discutir com ela e Gordon os detalhes do projeto. Além da montagem dos laboratórios, ele enfatizou a importância de um herbário que classificasse as espécies com precisão e conservasse amostras de cada uma delas, tarefa problemática, uma vez que a taxonomia das plantas amazônicas era pouco conhecida. Sugeriu que eu procurasse Douglas Daly, diretor do departamento de botânica amazônica do New York Botanical Garden, um dos mais importantes do mundo. Achei estranho que um dos maiores especialistas em taxonomia da floresta amazônica morasse em Nova York.

No mesmo dia, liguei para conhecê-lo e propor uma visita à

coleção do museu localizado no Bronx. Atendeu uma voz em português fluente com sotaque do Norte do país e que usava a palavra "rapaz" como interjeição para demonstrar surpresa, como fazem os habitantes da região. Douglas havia aprendido português com os mateiros e caboclos do Acre no trabalho que realizava havia anos em conjunto com pesquisadores da universidade federal do estado.

Na Unip, nós nos propusemos a dirigir o foco das pesquisas à atividade farmacológica de extratos de plantas de determinadas famílias da região do rio Negro em duas situações biológicas desafiadoras: letalidade contra células malignas e bactérias resistentes a antibióticos.

O processo é bem padronizado: começa no local escolhido para a coleta das plantas, documentado com o auxílio do GPS, para que seja possível voltar para a recoleta em caso de o extrato demonstrar atividade.

No campo, o material é colocado em sacos de algodão, para ser manipulado no fim do dia no pequeno laboratório do barco *Escola da Natureza*, quando é feita a separação de caules, folhas, flores e frutos (se houver), e preparada uma amostra que conterá as diversas partes da planta, acondicionadas entre folhas de jornal, destinada ao arquivamento no herbário. Na pasta consta a descrição das características da árvore, do cipó ou do arbusto de onde foram retiradas, bem como a localização fornecida pelo GPS e o nome dos que realizaram a coleta.

Esse herbário coleciona hoje cerca de 12 mil plantas, colhidas no rio Negro e na mata atlântica, catalogadas e identificadas, das quais 8 mil imagens foram digitalizadas e disponibilizadas na internet, trabalho do botânico Mateus Paciencia, do farmacêutico Sergio Frana e de diversos alunos e estagiários.

As diversas partes do material são moídas nos laboratórios da Unip em Manaus e enviadas ao Laboratório de Extração, em São Paulo. Caules, folhas e demais partes são usados para preparar soluções em dois solventes: água e álcool, líquidos que dissolvem solutos com propriedades diferentes.

Os "chás" resultantes da extração serão liofilizados, processo em que a água é evaporada para reduzi-los à forma de pó, que ficará armazenado em frascos com códigos de barras guardados em grandes freezers, para testes em estudos futuros. Hoje, nesses freezers há mais de 2,3 mil extratos, talvez a maior extratoteca das florestas do rio Negro.

Para a testagem, os extratos são diluídos em concentrações padronizadas e colocados em placas que contêm bactérias resistentes ou células de diversos cânceres: mama, próstata, cólon, pulmão, cabeça e pescoço e leucemia. Um equipamento fará a leitura do número de bactérias ou de células tumorais que foram destruídas.

Os extratos que demonstram atividade nesse ou em outros sistemas experimentais irão para a separação dos componentes no Laboratório de Fitoquímica, com a finalidade de identificar o princípio ativo, isto é, qual das substâncias presentes no "chá" é a responsável pela ação antitumoral ou bactericida.

Quando essa atividade fica demonstrada, é hora de voltar ao local em que a amostra da planta foi colhida, a fim de obter mais material para novos experimentos laboratoriais e depois iniciar a fase de testes em animais, passo obrigatório antes dos estudos em seres humanos.

O processo demanda tempo e recursos materiais e humanos. Em nenhum momento achei que descobriríamos drogas a ser lançadas no comércio enquanto eu ainda estivesse vivo. O que me encantou foi a possibilidade de criar um centro de formação de jovens dedicados à pesquisa de medicamentos a partir de nossos recursos naturais.

Cerca de 1,3 mil extratos já foram testados, não apenas contra células tumorais e bactérias resistentes, mas em diversos sistemas experimentais. O grupo publicou mais de 170 trabalhos, vários deles em revistas de primeira linha, além de orientar dezenas de mestrados acadêmicos e doutoramentos.

Em viagens coordenadas pelos professores Wilson Malavasi e José Augusto Nasr, fui mais de cem vezes ao rio Negro, oportunidades em que passei dias em contato com os botânicos, colhendo plantas na terra firme, nos igapós e igarapés, analisando a anatomia de suas partes e das famílias às quais pertencem, na paz do laboratório do barco à noite, mantendo longas conversas com a tripulação e com os ribeirinhos.

Durante esse período tivemos dois mateiros. O primeiro, o saudoso Luiz Coelho, amazonense de Tefé, veio trabalhar com a gente quando se aposentou depois de cinquenta anos no herbário do Instituto Nacional de Pesquisas Amazônicas (Inpa). Botânico prático, seu Luiz havia acompanhado a maior parte dos taxonomistas internacionais que visitaram a floresta. A falta de formação acadêmica não impediu que se tornasse um dos maiores conhecedores da flora da região. Nunca vi uma planta da qual ele não conseguisse identificar pelo menos a família; na maioria das vezes conhecia também o gênero e até o nome científico e o popular da espécie. Em diversas ocasiões vi Douglas Daly e Mateus Paciencia perguntarem a ele a classificação de uma espécie que desconheciam.

As décadas de convivência com a mata e seus habitantes fizeram de seu Luiz um irresistível contador de histórias, algumas delas dignas das melhores páginas literárias do realismo fantástico amazônico. Tive o privilégio de conviver e de ser introduzido à cultura da Amazônia por esse brasileiro, dono de uma experiência de vida diversificada e de um conhecimento botânico enciclopédico que desapareceu com ele aos 87 anos, em 2017.

Em seu lugar entrou o mateiro Osmar Barbosa, exímio subidor, capaz de fazer coletas nas copas das árvores mais altas apenas com uma cinta ao redor dos pés (peconha), à moda dos indígenas. Antes de conseguir emprego como mateiro e de se interessar pela taxonomia, Osmar era empregado de uma serraria que derrubava as árvores.

O Projeto Rio Negro me levou aos limites do Brasil com a Colômbia e com a Venezuela na companhia dos militares que patrulham as nossas fronteiras, única presença do Estado brasileiro nessa área, sem os quais dificilmente teríamos mantido essa parte do país. Ofereceu também a oportunidade de me aproximar da cultura indígena, característica das 23 etnias que se espalham pela bacia do rio Negro.

Dessas atividades resultaram dois livros ricamente ilustrados: *Florestas do rio Negro*, coordenado por mim e escrito pelos botânicos Alexandre de Oliveira e Douglas Daly e por vários autores convidados; e *Cabeça do Cachorro*, ilustrado pelo fotógrafo Araquém Alcântara e escrito por mim e Jefferson Peixoto. Além dos livros, fizemos dois documentários, dirigidos por Luciano Cury: *Histórias do rio Negro* e *Cabeça do Cachorro*, além de uma série para a internet sobre a saúde indígena, dirigida por Newman Costa e Gislaine Miyono.

A experiência de atender em cadeias e ao mesmo tempo conviver com indígenas e caboclos ribeirinhos no rio Negro foi um raro privilégio, uma lição sobre as estratégias de sobrevivência que os seres humanos desenvolvem para resistir à restrição de espaço em celas claustrofóbicas nas quais se espremem e à solidão das casinhas de madeira perdidas na vastidão da floresta.

Os antirretrovirais

São Paulo era o epicentro da epidemia brasileira de aids em 1983. Mal cheguei do estágio em Nova York, comecei a receber pacientes com sarcoma de Kaposi disseminado. Era o único oncologista da cidade que tinha visto casos da doença.

Invariavelmente homens homossexuais, os primeiros pacientes vinham com manchas espalhadas pelo corpo todo, pequenas, pouco salientes, cor de vinho, às vezes confluentes. Nos membros inferiores, as lesões eventualmente se juntavam de modo a formar placas escuras que comprometiam a circulação linfática, dando origem a inchaços que dobravam ou triplicavam o diâmetro das pernas, comprometendo a deambulação. Ao lado do quadro dermatológico, nos casos mais graves surgiam lesões hepáticas e pulmonares, que podiam levar à morte por sangramento e insuficiência respiratória.

A única alternativa terapêutica era a quimioterapia, que precisava ser administrada com cuidado extremo, para não agravar a depressão imunológica e facilitar a instalação de infecções oportunistas, por vezes fatais.

O convívio com os doentes me permitiu entrar em contato com o contexto social dos homossexuais na cidade de São Paulo. O preconceito e a violência da sociedade contra eles haviam levado à criação de uma comunidade informal numa pequena área situada entre a praça da República e o largo do Arouche, no centro. Ali, eram aceitos como inquilinos nos prédios residenciais, podiam circular pelas ruas e frequentar bares e restaurantes com um mínimo de segurança, apesar dos ataques ocasionais de gangues formadas por supremacistas brancos.

Uma vez, recebi um telefonema de um colega de outro estado, solicitando que eu atendesse o sobrinho, que viria a São Paulo. Contou que o rapaz tivera uma série de infecções de repetição que me pareceram sugestivas da imunodepressão causada pelo HIV. Quando perguntei se haviam pedido o teste para aids, o tio pareceu surpreso e respondeu que não. Depois de uma pausa em que fiquei constrangido, ele acrescentou: "Não sei, mas ele é um rapaz muito educado, sabe. É desses que gostam de música clássica".

Cansados de suportar as chacotas, as humilhações, os xingamentos e as agressões físicas nas cidades do interior, os homens homossexuais migravam para o gueto de São Paulo em busca de mais liberdade e acolhimento entre os pares. Por outro lado, o distanciamento da família deixava-os mais frágeis quando adoeciam. Enfraquecidos pelas infecções, recolhiam-se em seus pequenos apartamentos ao lado de um companheiro ou de amigos, que se reuniam para comprar os medicamentos e se revezavam para cuidar deles. Era comovente assistir às manifestações de solidariedade da comunidade gay empenhada em socorrer os mais desamparados.

Como nas grandes cidades americanas e europeias, surgiram lideranças que aqui formaram o Grupo de Apoio e Prevenção à Aids (Gapa), para defender o direito à assistência médica e aos benefícios previdenciários dos doentes, divulgar informações sobre a doença e denunciar o preconceito que dificultava ou impedia o acesso aos cuidados médicos, que apenas seriam assegurados depois da criação do SUS em 1988.

Ao contrário dos grupos de ativistas americanos e europeus, no entanto, o Gapa lutava com dificuldades financeiras. Eram tantas, que recebi uma placa de agradecimento por haver doado os direitos autorais de um pequeno livro educativo — *Aids hoje* — vendido por eles numa campanha com artistas, realizada nos shopping centers da cidade, com cobertura da Jovem Pan, coordenada pelo Fernando Vieira de Mello. Com os recursos arrecadados puderam pagar os aluguéis atrasados da sede ameaçada de despejo.

A formação de grupos de ativistas para esclarecer e chamar a atenção para o problema, defender o acesso à assistência médica e aos direitos dos que viviam com o HIV motivou e serviu de modelo para a criação das associações que surgiriam a partir dos anos 1990 com ações semelhantes nas áreas do câncer de mama, câncer de próstata, doença de Alzheimer, diabetes, síndrome de Down, doenças raras, anemia falciforme e muitas outras. Foi o ativismo iniciado para enfrentar a aids o embrião de um fenômeno novo na história da medicina: a participação ativa dos pacientes na defesa de seus interesses, direitos e necessidades.

Os primeiros casos de aids representaram um desafio especial para os infectologistas da época, especialistas que não estavam acostumados a lidar com pessoas em fase terminal de uma doença incurável. Ficavam muito frustrados ao assistir à sucessão de infecções por germes banais, que levavam ao óbito os pacientes imunodeprimidos pela ação do HIV.

De fato, mesmo para quem tinha experiência com doentes graves a frustração era grande. Acabávamos de curar a pneumonia por *Pneumocystis carinii*, aparecia candidíase que cobria de placas brancas a boca inteira, a faringe e o esôfago. Assim que o doente melhorava, começava a diarreia crônica por citomegalovírus, que o fazia definhar. Mal havíamos controlado a diarreia com medicamentos cheios de efeitos colaterais, administrados por veia, surgiam os sintomas neurológicos da toxoplasmose cerebral ou da meningite pelo criptococo, ou de um linfoma que invadia o sistema nervoso central. Ficávamos encurralados por vírus, bactérias e fungos oportunistas, que levavam os pacientes diante de nossos olhos. Era uma guerra perdida.

Na cadeia, tudo se tornava ainda mais dramático. A enfermaria não passava de uma ala de celas no quarto andar do Pavilhão Quatro. Aos doentes era permitido circular pela galeria das oito da manhã às sete da noite, horário da tranca. Se passassem mal, trancados durante a madrugada, contavam apenas com a ajuda do companheiro, que fazia as vezes do enfermeiro de plantão na enfermaria.

As primeiras infecções que se instalavam à medida que a imunodepressão se acentuava eram aquelas causadas pelo bacilo da tuberculose e pelo herpes-zóster, popularmente conhecido como cobreiro, que provocava lesões extensas e dolorosas que acompanhavam o trajeto dos nervos em qualquer parte do corpo. As mais impressionantes eram as que se espalhavam pelo território do nervo trigêmeo e atingiam um dos olhos, levando-o à cegueira.

A tuberculose se disseminava no interior das celas superlotadas e nas galerias, infectando HIV-positivos ou não. O silêncio das noites nos pavilhões era entrecortado pelo som dos acessos de tosse que não davam trégua.

Os casos eram tantos, que eu prescrevia o esquema tríplice sempre que havia queixas de tosse crônica, sudorese noturna, dor no tórax e emagrecimento, sem esperar o resultado da pesquisa de BK no escarro. Eu era obrigado a inverter a ordem da conduta recomendada, porque a coleta do exame podia demorar, o resultado não chegar e o doente não ter acesso a mim ou a outro médico por semanas.

Quando o diagnóstico estava correto, o paciente já se sentia melhor na semana seguinte, do contrário era preciso pensar em outras possibilidades. Vi tantos casos, que conseguia fazer o diagnóstico só de olhar a aparência física, antes de ouvir as queixas. Quando diziam que tinham tosse e febre, eu os interrompia para acrescentar: "Você acorda suado à noite, emagreceu, perdeu o apetite, o peito dói e está fraco". Alguns doentes perguntavam: "Como o senhor sabe?".

Cheguei a fazer diagnósticos de presos com os quais cruzei no corredor, antes de trocarmos uma palavra. "É impressionante o seu olho clínico", disse uma vez um dos detentos que me ajudava na enfermaria. Não, não era impressionante. O que chamamos de olho clínico não é uma dádiva que cai dos céus, mas o resultado da experiência de ter visto muitos casos.

Embora necessária, essa vivência clínica não foi suficiente para me tornar especialista em tuberculose. Vi muitos pacientes e aprendi a tratá-los, mas para o conhecimento mais profundo da doença seriam necessários exames laboratoriais e imagens que não me eram acessíveis, além de conhecimento teórico da fisiopatologia, das características bacteriológicas e dos mecanismos de resistência do bacilo de Koch. A boa prática da medicina exige muito mais do que a simples experiência pessoal em tratar doentes.

Quando me perguntam se passei por situações que me deixaram com medo nesses 33 anos em que frequento cadeias, digo que não. Sempre fui tratado com muito respeito pela população carcerária. O único medo que tive foi o de contrair tuberculose.

No pior momento da epidemia, chegávamos a perder quatro ou cinco doentes por semana. Nas visitas, os que estavam nas fases finais não se davam mais ao trabalho de se queixar. Quando respondiam, pareciam desinteressados do que eu lhes dizia. Tinham o olhar resignado que a morte impõe quando chega devagar.

Em *Estação Carandiru*, descrevi os momentos finais de Sem-

-Chance, ladrão condenado a dezenove anos, que voltava a fumar crack e abandonava o tratamento da tuberculose toda vez que recebia alta da enfermaria para retornar ao pavilhão.

Uma tarde, fui vê-lo antes de ir para o ambulatório. A cela estava invadida por uma luz bonita, alaranjada, reflexo do sol na mulher pelada da parede. Em coma, encolhido no catre, pele e osso, ele parecia uma criança. Migalhas de pão espalhavam-se em volta da boca ressecada. Atrás delas, um batalhão de formigas apressadas andava em zigue-zague pelo rosto agônico de Sem-Chance.

A enfermaria do presídio me ensinou como a morte pode ser solitária e degradante.

Em outubro de 1994, num congresso nos Estados Unidos, conheci e fiquei amigo de John Bartlett, diretor do departamento de doenças infecciosas da Universidade Johns Hopkins, um dos mais distinguidos infectologistas do mundo, conhecido por haver isolado pela primeira vez a bactéria *Clostridium difficile*, causadora de diarreia em pacientes tratados com antibióticos, e por acordar todos os dias às três da manhã para estudar e escrever livros e artigos científicos antes de sair para o trabalho na universidade.

Na ocasião, o dr. Bartlett falou com muito entusiasmo dos inibidores de protease, grupo de medicamentos anti-HIV que chegavam no final dos estudos fase 3. "Essas drogas vão revolucionar o tratamento da aids. É provável que sejam capazes de controlar a doença por anos consecutivos."

Até então, a aids era tratada com uma droga de cada vez. A abordagem inicial era feita com o AZT, um inibidor da transcriptase reversa indicado apenas no estágio em que começavam as infecções de repetição. Quando não havia resposta ou a doença progredia, substituíamos o AZT pelo ddI, depois pelo ddC ou pelo d4T, medicamentos da mesma classe. Os resultados eram pífios.

Entendi que aconteceria uma mudança radical do paradigma de tratamento, mas que levaríamos tempo para incorporar esses conhecimentos na prática médica no Brasil. Havia muitas barreiras, entre elas colocar os médicos a par desses avanços e convencer as autoridades federais a autorizar imediatamente a comercialização dos novos medicamentos no Brasil. O ddI, por exemplo, tinha levado mais de um ano para receber essa autorização, período durante o qual só teve acesso a ele quem pôde pagar os preços extorsivos que os importadores cobravam. Mas como divulgar essas informações num país continental da forma mais rápida possível e como pressionar as autoridades para aprovar as medicações com urgência?

Telefonei para o meu amigo Jô Soares, que comandava um programa de entrevistas muito popular na TV brasileira, e propus dar uma entrevista sobre o tema. Dois dias depois, ele me perguntou sobre os novos tratamentos diante das câmeras. Respondi: "Jô, tenho consciência da repercussão do que vou dizer num meio de comunicação de massa: a era do tratamento da infecção pelo HIV com AZT ou com outra droga usada isoladamente acabou, é coisa do passado. Surgiram drogas novas que devem ser empregadas em associação. Espero que a importação desses medicamentos que vão revolucionar o tratamento da doença seja autorizada o mais cedo possível".

Minha vida virou um inferno. O telefone do consultório ficou congestionado com chamadas do Brasil inteiro: pediam para falar comigo, imploravam para a secretária marcar uma consulta. A todos ela explicava que o tratamento ainda não estava disponível, que não adiantava falar comigo. Fui obrigado a interromper o agendamento de novas consultas, medida que criou dificuldades para os pacientes com câncer que me procuravam pela primeira vez.

Deu trabalho, mas valeu a pena. A importação dos inibidores de protease foi autorizada em menos de uma semana, e o chamado coquetel de drogas se tornou conhecido por médicos, jornalistas e pacientes. O episódio me mostrou que a televisão era o meio ideal para divulgar informações médicas de interesse para a população.

Com o advento dos inibidores de protease, houve a possibilidade de associarmos drogas com mecanismos de ação distintos, para atacar o vírus em diversas etapas de seu ciclo biológico.

Na verdade, a ideia da associação de drogas veio do tratamento da tuberculose, infecção que responde mal quando empregamos um medicamento único, mas bem ao esquema tríplice, formado pela associação de isoniazida, rifampicina e pirazinamida.

Os primeiros resultados já foram impressionantes. Três de meus pacientes que estavam internados no Hospital Sírio-Libanês em estágio avançado da doença receberam alta hospitalar em duas semanas de tratamento (estão vivos e saudáveis até hoje). Um deles, um homem de mais de 1,90 metro que chegara ao meu consultório com 55 quilos, tão debilitado por uma sucessão de infecções que não conseguia ficar em pé, recuperou vinte quilos nos três meses seguintes.

No Carandiru, meses depois de os antirretrovirais se tornarem disponíveis, pedi para reunir os doentes com aids tratados nos pavilhões, com a finalidade de revisar as medicações e pedir os exames de controle. Ao chegar à enfermaria, passei por uma fila de cerca de trinta homens de aparência tão saudável, que reclamei com os presos a quem havia pedido para organizar o atendimento: achei que aquelas pessoas não tinham aids.

No início da carreira, cheguei a conhecer médicos que estavam na profissão antes do advento da penicilina. Eles falavam do sofrimento de doentes e familiares quando uma simples amigdalite podia dar origem a quadros de septicemia que levavam crianças e adultos ao óbito, e descreviam as respostas dramáticas à penicilina, nos casos graves de infecções pelas mais variadas bactérias.

Minha geração testemunhou uma revolução no tratamento de uma doença viral, pandêmica, que evoluía para a morte em 100% dos casos, talvez só comparável à do impacto que os antibióticos tiveram na prática médica.

A ovelha Dolly e o coração de porco

Acompanhar de perto os caminhos que a medicina percorria trouxe grande prazer intelectual e a curiosidade de entender os avanços que se davam em outras áreas da biologia. As descobertas na genética eram as que mais me chamavam a atenção. Lia os estudos da *Science* e da *Nature* com mais interesse do que os publicados no *The New England Journal of Medicine* ou no *Journal of Clinical Oncology*, publicações dedicadas à clínica.

Em fevereiro de 1997, uma ovelha surpreendeu o mundo: Dolly, o primeiro mamífero clonado a partir de células maduras. Dolly foi capa da *Times*, da *Science* e dos grandes jornais internacionais.

Quando vi a foto da ovelha, experimentei uma excitação quase infantil. Senti que a ciência entrava num mundo imprevisível. Lembro que liguei logo cedo para o neurologista Daniele Riva, meu colega de turma na faculdade, com quem tenho muita afinidade intelectual. Eu devia estar tão empolgado com a metodologia empregada na clonagem e com as possíveis aplicações daquela tecnologia, que às tantas ele perguntou se por acaso eu era o dono da ovelha clonada.

Vinha de longe essa história.

Em 1892, um pesquisador alemão separou as duas células resultantes da primeira divisão de um óvulo fecundado de ouriço-do-mar. Ele estava curioso para saber qual metade do embrião cada uma se encarregaria de formar: direita, esquerda, superior ou inferior? Para sua surpresa, entretanto, nasceram dois embriões inteiros.

Anos depois, os mesmos resultados foram obtidos com embriões de sapos.

Na década de 1950, pesquisadores americanos extraíram o núcleo de uma célula obtida nas primeiras divisões de um óvulo fecundado de rã e o transplantaram para um óvulo não fecundado de outra rã, cujo núcleo tinham previamente retirado, deixando-o só com o citoplasma. Os girinos nasceram normalmente.

Essas experiências mostraram que o desenvolvimento dos girinos só acontecia se o núcleo da rã doadora fosse colhido nas fases mais iniciais da embriogênese, quando o embrião doador do núcleo contivesse no máximo de 32 a 64 células.

Estabeleceu-se, então, o dogma de que as células de um embrião se diferenciam logo depois das primeiras divisões, perdendo o poder de formar embriões completos.

Esse dogma caiu por terra em 1962, quando o biólogo britânico John Gurdon, da Universidade Cambridge, transferiu o núcleo de uma célula do intestino de uma rã adulta para um óvulo sem núcleo de outra rã. Nasceram girinos que se transformaram em rãs e sapos normais. Estava provado que células adultas mantinham a capacidade de percorrer o caminho inverso ao da embriogênese, isto é: em condições favoráveis, podiam se desdiferenciar e readquirir a totipotência das embrionárias, capazes de dar origem a qualquer célula de qualquer tecido.

A quebra do dogma enfureceu os religiosos e os autodenominados guardiães da moral e da ética, cujas pregações bradavam que os cientistas estavam invadindo os domínios do Criador e davam os primeiros passos para a clonagem de seres humanos.

Como sempre na história da ciência, o impacto da intolerância religiosa retardou o andamento das pesquisas, e as publicações no campo da clonagem rarearam.

Trinta e quatro anos depois, dois cientistas do Instituto Roslin, em Edimburgo, na Escócia, os biólogos Ian Wilmut e Keith Campbell, extraíram o núcleo de uma célula da mama de uma ovelha adulta e o injetaram num óvulo "vazio" de outra ovelha, para depois implantá-lo no útero de uma terceira ovelha. Após 277 tentativas, Dolly nasceu no ano seguinte.

Dolly teve seis filhos normais. Viveu seis anos e meio, até contrair o vírus JSRV, causador de câncer de pulmão em ovinos, que também provocou a morte de outras ovelhas (não clonadas) de seu rebanho. Seu corpo foi doado ao Museu Nacional da Escócia.

Clonar uma ovelha geneticamente idêntica à adulta que fez a doação do núcleo de uma célula mamária madura voltou a suscitar a mesma falsa controvérsia sobre até onde vão os domínios da ciência e os da religião, mas dessa vez o impacto nocivo ao andamento das pesquisas foi bem menor.

Em 2006, o cientista japonês Shynia Yamanaka, da Universidade de Kyoto, foi mais longe: demonstrou que em ratos apenas quatro genes se encarregam de reprogramar células adultas para retornar ao estado primitivo de células-tronco, totipotentes.

Depois dos trabalhos de investigação de John Gurdon e Shynia Yamanaka, que receberam o prêmio Nobel em 2012, alguns milhares de animais de mais de vinte espécies já foram clonados, entre os quais porcos, cavalos, bois, primatas e até um cabrito-montês já extinto.

Em 2014, uma companhia chinesa anunciou ter alcançado

entre 70% e 80% de eficácia na clonagem de porcos. Em 2016, uma empresa coreana revelou que em seus laboratórios eram clonados até quinhentos embriões por dia.

A importância desses avanços, no entanto, não foi ter conseguido clonar animais, mas lançar as bases para o campo das pesquisas com células-tronco. Fazer com que uma célula adulta recupere a capacidade de se diferenciar em qualquer outra criou possibilidades de aplicações na medicina e em todas as áreas da biologia com as quais eu nem poderia sonhar quando saí da faculdade.

Este é o desafio maior das escolas médicas: preparar os alunos para a prática de uma profissão que estará muito à frente daquela que ensinam.

O início do século XXI trouxe à luz uma técnica revolucionária para manipular genes: a CRISPR-Cas9, considerada pela *Science* o maior avanço científico de 2015. Quando a revista saiu, entendi que se tratava de uma técnica relevante, mas não consegui prever sua abrangência.

Essa também era uma história que vinha de longe. Começara havia mais de trinta anos, com a descrição em bactérias de sequências repetitivas de DNA, no meio das quais existiam fragmentos de genes estranhos ao genoma bacteriano. A configuração recebeu o nome de CRISPR.

Em 2007, uma empresa fabricante de iogurtes identificou nas bactérias empregadas na fermentação do leite um sistema de defesa imunológica contra vírus predadores, que envolvia exatamente as sequências repetitivas CRISPR.

Em 2012, a microbiologista australiana Jill Banfield e a bióloga molecular americana Jennifer Doudna, ambas da Universidade da Califórnia, e a microbiologista francesa Emmanuelle Charpentier, do Instituto Max Planck, demonstraram que a sequência CRISPR é capaz de orientar o corte (clivagem) de alvos específicos na estrutura de qualquer gene, seja de animais, vegetais, fungos ou bactérias. Para tanto, partiram da observação de que as bactérias conseguem manter na "memória" os genes dos vírus que as infectaram no passado, às custas de preservarem fragmentos do DNA viral incorporados no seio das sequências CRISPR.

Tais resíduos arquivados funcionam como bancos de dados. Em caso de um novo ataque do mesmo agente, a bactéria agredida sintetiza rapidamente moléculas-guia de RNA que localizam com precisão extrema o DNA do invasor, para que uma enzima (geralmente a nuclease Cas9) se desloque no interior da célula bacteriana para cortar, inativar os genes do vírus e impedir que ele se replique.

Em outras palavras: CRISPR é uma coleção de sequências de DNA capazes de indicar em que posição de um DNA intruso a enzima Cas9 deve efetuar a clivagem para desativá-lo.

A publicação dos trabalhos de Banfield, Doudna e Charpentier foi o ponto de partida para uma enxurrada de estudos científicos, bilhões de dólares investidos em companhias de biotecnologia e a inclusão das três pesquisadoras na lista das cem pessoas mais influentes do mundo pela revista *Time*. Jennifer Doudna e Emmanuele Charpentier receberam o Nobel de química de 2020.

CRISPR-Cas9 é a ferramenta mais barata e simples para a manipulação de genes que vão das bactérias às plantas e aos animais. Tem sido comparada ao carro Ford T dos primórdios da indústria automobilística, que por sua simplicidade, custo e facilidade de produção revolucionou a sociedade.

A técnica permite manipular qualquer gene de interesse. Basta acessar na internet os bancos de dados que descrevem as sequências de bases do gene em questão e encomendar, on-line, os dois componentes essenciais da CRISPR: o RNA-guia e a enzima "cortadora" Cas9. Em poucos dias a ferramenta chegará pelo correio.

CRISPR é hoje o método mais empregado para desligar ou ativar a expressão de qualquer gene de interesse científico ou comercial.

Essa tecnologia permitiu obter com 97% de eficácia drosófilas com pigmentações esquisitas, mosquitos resistentes ao parasita da malária e fêmeas estéreis para competir com as demais, porcos com resistência a viroses, trigo imune a fungos, tomates de longa vida e amendoins livres de alérgenos, entre outras modificações genéticas.

Para dar uma ideia do alcance dessa técnica, vale citar os trabalhos do bioquímico sino-americano Feng Zhang, do MIT, que ligou e desligou, um por um, os 20 mil genes humanos presentes em células de melanoma maligno, com o objetivo de elucidar o mecanismo de resistência a uma droga antineoplásica.

Quando comecei a tratar doentes com melanoma maligno no Hospital do Câncer, eu poderia imaginar que chegaríamos a esse nível de conhecimento dos fenômenos moleculares ainda nos meus anos de atividade profissional?

A possibilidade de desenvolver novos tratamentos contra infecções e câncer é uma realidade; a possibilidade de silenciar ou introduzir genes em enfermidades causadas por alterações genéticas que afligem a humanidade há milênios nunca esteve tão próxima.

Acabam de ser publicadas as primeiras aplicações dessa técnica no tratamento da anemia falciforme, alteração genética que afeta 6 milhões de pessoas no mundo, cerca de 75% das quais nos países da África situados abaixo do deserto do Saara.

É uma técnica rápida e de baixo custo que permite corrigir genes defeituosos sem a necessidade de transplantar genes estranhos. CRISPR criou a possibilidade de modificar genes do próprio indivíduo sem dar margem às polêmicas que atrasaram as pesquisas com os transgênicos.

Em outubro de 2021, cientistas da Universidade de Nova York

usaram CRISPR-Cas9 para modificar geneticamente porcos cujos tecidos pudessem ser transplantados para seres humanos sem provocar rejeição imediata. Depois de obter autorização dos familiares de um paciente em morte cerebral cujos rins estavam paralisados, os cirurgiões transplantaram para ele o rim de um porco. Após três dias de observação, notou-se um restabelecimento da função renal, a quantidade de urina excretada foi normal, e o mais importante: não houve qualquer evidência de rejeição imediata.

Em janeiro de 2022, cirurgiões da Universidade de Maryland transplantaram o coração de um porco geneticamente modificado para um homem de 57 anos que sofria de doença cardiológica em fase terminal. O animal teve seu genoma modificado de dez formas pela técnica CRISPR: três de seus genes foram deletados para diminuir o risco de rejeição; um gene foi deletado para assegurar que o coração não aumentasse de tamanho depois de transplantado; e seis outros foram introduzidos no genoma para aumentar as chances de aceitação do órgão.

O coração de um porco bateu no peito de um ser humano por dois meses. Infelizmente o paciente faleceu em março de 2022, quando eu finalizava este livro.

Como lidaremos com o poder de moldar outras formas de vida para atender aos nossos interesses? Teremos amadurecido a ponto de estabelecer limites éticos às manipulações genéticas?

O futuro dirá, mas, a julgar pela legislação que conseguimos estabelecer em outras áreas da medicina, sou otimista. Se quando dominamos as tecnologias dos transplantes soubemos criar leis para impedir que os mais frágeis fossem doadores involuntários de seus órgãos, por que não seremos capazes de estabelecer critérios rígidos para as manipulações genéticas?

Crescei e multiplicai-vos

No início dos anos 1980, um sábado de inverno em Nova York mudou minha forma de entender a vida. Cheguei na hora em que o Museu de História Natural abriu as portas e só fui embora quando os funcionários convidaram os últimos retardatários a sair.

As instalações grandiosas, as coleções de esqueletos de animais extintos e de outros que ainda vivem em nosso planeta, dispostas em reinos, famílias, gêneros e espécies, mudaram minha forma de entender o surgimento da vida, a biodiversidade e o aparecimento do *Homo sapiens*.

Saí do museu com a consciência clara de que era um homem diferente daquele que entrara no início da manhã. A história da vida na Terra adquiria uma lógica que estabelecia ordem nas ideias confusas que eu tinha até então.

A mais importante foi entender as consequências do significado da vida como fruto do acaso. Sim, porque 4 bilhões de anos atrás, tão logo nosso planeta esfriou o suficiente, surgiram ao acaso, resultantes de combinações e recombinações químicas, as primeiras moléculas capazes de fazer cópias de si mesmas: RNA e DNA.

Na luta renhida pela sobrevivência, levaram vantagem as cópias que conseguiram sintetizar algumas proteínas e açúcares numa disposição que formassem uma camada externa para protegê-las das agressões do ambiente.

A partir daí a competição pelos recursos naturais disponíveis, mas limitados, deu origem à seleção natural, mecanismo que Wallace e Darwin descreveram com precisão e elegância para criar a teoria que nos permitiu explicar os fenômenos biológicos mais relevantes, com grande impacto no pensamento filosófico moderno.

Nos últimos cem anos o esforço conjunto de geneticistas e geólogos confirmou que os milhões de espécies de seres vivos existentes hoje descendem das poucas que viveram há mais de 3 bilhões de anos, exatamente como previram os dois biólogos ingleses anos antes do aparecimento da genética.

Entender os genes como estruturas formadas a partir das mesmas moléculas ancestrais, hoje presentes em todos os seres vivos, transformou a biologia, até então uma ciência puramente descritiva. Ao se limitarem à enumeração das características fenotípicas dos seres vivos, os biólogos se resignavam a se confrontar com as consequências da seleção natural, e não com as forças ambientais responsáveis por ela.

A compreensão de que os mecanismos causais por trás dos fenômenos biológicos dependem do funcionamento de moléculas específicas, no interior e no exterior das células, tornou a biologia uma ciência muito mais dinâmica e desafiadora, já que trouxe para os domínios da razão os fenômenos envolvidos na biodiversidade e na complexidade da vida em nosso planeta e em qualquer outro em que ela exista ou venha a existir.

Nas últimas décadas, o desenvolvimento de técnicas automatizadas, que permitiram cortar o DNA em fragmentos, rejuntá-los e amplificá-los em muitas cópias, fazê-los gerar moléculas de RNA com o objetivo de sintetizar proteínas de interesse em medicina e agricultura, levou a clonagem de genes à posição central das pesquisas que transformariam a face da biologia.

Compreender como as primeiras moléculas se combinaram e recombinaram desde o ambiente primordial da Terra, até chegarem às espécies que hoje se distribuem pelos cinco continentes, a você e a mim, forjou minha maneira de ver a natureza, de olhar para as flores como órgãos sexuais elaborados para atrair insetos polinizadores e de admirar a estratégia de reprodução das bactérias, dos fungos, dos animais e das plantas, sem levar em consideração nenhuma hierarquia antropocêntrica.

É ridículo e pretensioso imaginar que a vida teria aparecido com o objetivo de evoluir por bilhões de anos até chegar ao homem. As bactérias, seres unicelulares que se formaram há mais de 3 bilhões de anos, foram habitantes únicos do planeta durante a maior parte desse tempo. Elas prepararam a Terra para receber os demais seres vivos. Sobrevivem em todos os habitats, em qualquer temperatura, intensidade luminosa, na presença ou ausência de oxigênio, às custas da forma unicelular de sempre. Não consta que o sonho de uma *Escherichia coli* seja evoluir para a multicelularidade com a intenção de um dia chegar a *Homo sapiens*.

Assim como os mosquitos, as bromélias, os besouros e os elefantes, nós surgimos no decorrer de um número incontável de eventos aleatórios. Não fosse a rota de um meteoro projetá-lo contra a península de Yucatán no final do período Cretáceo, há 66 milhões de anos, os dinossauros ainda estariam por aqui e os mamíferos não passariam de pequenos roedores sem coragem de sair das tocas à luz do dia, mortos de medo daqueles brutamontes na vizinhança.

Para muitos, a descrição da vida como consequência de arranjos e desarranjos aleatórios de moléculas pode diminuir o encanto da natureza e negar o papel do Criador. Porém, se pensarmos que reduzida à sua essência a vida não passa de um eterno crescei e multiplicai-vos, decifrar seus mecanismos mais íntimos é um desafio de raro esplendor.

Numa conferência proferida nos anos 1980, o geneticista americano Robert A. Weinberg, pesquisador destacado na área da genética do câncer, afirmou: "Como os físicos fizeram no início do século XX, os biólogos contemporâneos invadiram os domínios da engenhosidade humana".

O médico doente

Acordei morto de frio no meio da madrugada de um domingo. Minha mulher dormia a meu lado, coberta apenas com o lençol. Levei alguns minutos para desconfiar que aquele tremor de bater os dentes e contrair a musculatura era um calafrio. Peguei o termômetro: 39,7 graus.

Nos três dias seguintes, trabalhei meio cansado e com febre no fim da tarde. Na quinta-feira, fui internado com dores nas costas, fraqueza, anorexia, náuseas, picos febris e com as provas de função hepática alteradas. Eu, que havia corrido doze quilômetros no domingo de manhã sem nada sentir, havia piorado tão depressa que precisei de ajuda do enfermeiro para sentar na cama.

O diagnóstico veio no sábado: febre amarela, adquirida no fim de semana anterior, numa viagem de dois dias ao rio Negro.

Na segunda-feira, com picos febris altos, mal-estar, enjoos persistentes e dores fortes nos músculos das costas, achei que ia morrer. Não por pessimismo descabido, visão distorcida da realidade, medo de complicações improváveis ou hipocondria fantasiosa, mas pela análise crítica dos fatos. Os exames mostravam um quadro de falência hepática aguda de evolução rápida que se refletia no amarelo dos olhos, na sonolência irresistível, no estado de torpor, no comprometimento da agilidade cognitiva e no desinteresse por tudo e todos.

Além da precariedade das condições clínicas e dos exames laboratoriais, o que reforçava minha impressão de que entraria em coma hepático nas horas seguintes era a atitude dos profissionais que me assistiam: o ar piedoso e a dedicação das enfermeiras, o olhar fugidio de meus colegas, em descompasso com as avaliações otimistas que procuravam fazer para me animar. Conhecedor dos códigos de conduta, eu identificava neles a frustração que a iminência da perda de um paciente provoca, quando nos vemos sem recursos para evitá-la.

Já tinha vivido 61 anos, trinta dos quais dedicados à oncologia, atividade que me colocara em contato direto com a morte inúmeras vezes. A experiência me mostrara que as reações individuais diante do fim são imprevisíveis, não guardam relação com as decisões que esperamos tomar enquanto temos saúde.

As pessoas dizem preferir morrer "se for para passar os dias numa cama", "se perder o movimento das pernas", "se ficar dependente dos outros", no entanto fazem de tudo para continuar vivas quando entrevadas num leito de hospital, precisando de ajuda para chegar ao banheiro ou trocar a fralda. A luta pela sobrevivência é condição indissociável da própria vida — na Terra e em qualquer planeta em que ela porventura exista. Os desapegados não deixaram descendentes.

Em momentos de especulações filosóficas, tive medo de me acovardar quando se aproximasse a hora fatal, de defrontá-la com atos e palavras que negassem as ideias pensadas com racionalidade desde a juventude. Eu tinha visto pacientes evangélicos tomarem passe em centro espírita, agnósticos pedirem um padre para a extrema-unção e religiosos blasfemarem contra o Deus que se negava a socorrê-los, incoerências que eu esperava não manifestar ao me despedir.

Cinco dias de internação hospitalar foram suficientes para entender que a visita da indesejada senhora era precedida por um período de aceitação gradual da sua chegada.

Os prazeres físicos foram os primeiros a me abandonar: o paladar ficou alterado, o olfato sensível apenas aos perfumes desagradáveis e aos cheiros irritantes, o sexo virou nada, as náuseas se tornaram persistentes. A astenia, a fraqueza e a pressão do alicate que me apertava os músculos das costas transformaram, em dez dias, um corpo capaz de correr maratonas num fardo difícil de suportar. A existência se esvaía num ritual com dinâmica própria, independente dos propósitos e dos desejos do ator protagonista.

Passava os dias cochilando, e quando despertava, era total o meu alheamento. O consultório, meus pacientes, as pesquisas na Amazônia, o atendimento nas cadeias, os livros escritos, as colunas no jornal, os prêmios, as campanhas de saúde pública, o trabalho na TV, nada mais me dizia respeito. O homem que andava de lá para cá no exercício dessas atividades e que corria quilômetros não passava de um personagem desligado daquele com olhos ictéricos na cama do hospital.

Os bens materiais, adquiridos às custas do trabalho iniciado aos dezoito anos como professor de cursinho, eram como se pertencessem a outras pessoas ou jamais tivessem existido.

No tango "Gira, gira", Carlos Gardel cantou: "*Cuando manyes que a tu lado se prueban la ropa que vas a dejar...*". Para mim essa estrofe era a metáfora mais impiedosa da desilusão do homem que chega ao fim. Estava enganado, não fazia nenhuma diferença se naquele momento provassem ou deixassem de provar os meus ternos. Lembrei das camisas de que eu mais gostava, da calça de estimação estampada com um desenho miúdo imitando palha de assento de cadeira, conservada com carinho por mais de vinte anos, do sapato clássico de couro marrom e camurça clara que tinha comprado no aeroporto de Copenhague, e não senti o menor apego.

O mais surpreendente, entretanto, foi aceitar sereno a inevitabilidade da separação das pessoas que mais amava. Minhas filhas, minha mulher, minha irmã e até a primeira neta, que quatro meses antes me fizera chorar de emoção na sala de parto, as pessoas mais próximas de mim, de quem eu morria de saudades quando me afastava por poucos dias para assistir aos congressos, haviam perdido o significado afetivo. Não que tivessem se tornado estranhas; continuavam íntimas, mas os laços emocionais que nos ligavam evocavam apenas sentimentos distantes do presente.

Não havia conflito interno. Estava sozinho diante de minha sorte, e parecia lógico permanecer assim. Nada mais tinha relevância, nada me ligava a ninguém, nem meu destino me dizia respeito. Era como se eu fosse espectador do personagem obnubilado que ali jazia. Nunca havia imaginado que morrer fosse tão natural.

No sexto dia de internação, senti que começava a perder a agilidade intelectual. Respondia com retardo às perguntas que me faziam, caía no sono no meio das conversas. Meus colegas solicitaram uma ressonância magnética do cérebro. Apesar do som intermitente do aparelho, dormi enquanto durou o exame. Achei que estava num coma superficial que se aprofundaria nas horas seguintes. Mais tarde meus colegas diriam que tiveram a mesma impressão.

Se, de fato, somos aquilo que lembramos, devo ter sido nada naquela noite. Minha existência foi envolvida por um manto negro, como convém à chegada da senhora com a foice.

No entanto, acordei às seis da manhã com a voz da enfermeira: "O senhor descansou?".

Duas semanas depois, consegui tomar uma tigela de caldo de carne, condição imposta por minha mulher para me levar para casa. Quando chegamos, tirei a roupa para vestir o pijama. A imagem no espelho era desoladora: rosto encovado, pernas e braços finos como cabos de vassoura, costelas saltadas e o abdômen inchado pela ascite que se acumulara em consequência da insuficiência hepática.

Fiquei três semanas em recuperação, amarelo, fraco, sem sair de casa. Dias difíceis, atormentado por cólicas fortes, mal-estares e um prurido no corpo provocado pela icterícia, que trazia alívio imediato ao coçar, tentação a ser evitada a qualquer preço, porque vinha seguida de uma queimação no local que custava a cessar. No passado, eu tinha visto pacientes com linfomas avançados que escarificavam a pele de tanto se coçar, mas não imaginei que fosse um sintoma capaz de levar ao desespero.

Quando estava no colégio, um colega interrompeu o padre que discutia os problemas do relacionamento conjugal para perguntar como ele podia falar sobre esse tema se a Igreja o proibia de se casar. A resposta foi a de que os médicos não precisavam ter a mesma doença do paciente para conseguir tratá-lo. O padre tinha razão, mas só quando já experimentamos na pele as agruras pelas quais passam nossos doentes somos capazes de avaliar a extensão do sofrimento deles.

Sempre ouvi dizer que ter visto a morte de perto é uma experiência transformadora. Como regra, depois de curados do câncer os pacientes dizem que passaram a viver com mais sabedoria, a não se deixar abater pelas pequenas contrariedades do cotidiano e a dar mais valor à presença das pessoas queridas e aos pequenos prazeres e momentos de felicidade que a vida oferece.

No meu caso, talvez tenha me faltado sensibilidade para reflexões transformadoras. Não enxerguei a luz no fim do túnel, continuei ateu, não notei mudança nas minhas relações afetivas com a família nem com os amigos próximos, não aprendi a controlar a ansiedade que me aflige quando as solicitações ocorrem ao mesmo tempo, não quis me divorciar, mudar de casa, de profissão nem abandonar trabalhos que fazia. A única decisão que tomei foi quase burocrática: começar mais cedo o atendimento no consultório, para não chegar em casa às nove, dez da noite.

As enfermeiras

Ter sido um paciente com doença grave, dependente de ajuda para realizar as tarefas mais comezinhas, aumentou minha admiração pelo trabalho da enfermagem. Não que eu não valorizasse a profissão, pelo contrário, mas só entendi o impacto dela no imaginário de quem sofre quando fui hospitalizado em estado grave.

Nos primeiros dias da internação, os enfermeiros que me ajudaram a sair da cama, a ir ao banheiro e a tomar banho me faziam lembrar da segurança que a mão firme de meu pai me transmitia ao atravessar a rua. A delicadeza carinhosa das enfermeiras ao tocar meu corpo me sugeria a sensação dos cuidados maternais que minha mãe não tivera tempo de vida para dar ao filho. A doença nos faz reencontrar a fragilidade da criança que um dia fomos.

Ouvi de um velho professor: "Sejam respeitosos com as enfermeiras, são elas que administram aos pacientes as nossas prescrições. Sem elas não há medicina".

É uma profissão antiga, à qual se dedicavam mulheres simples, iletradas, despreparadas para esse encargo, tradição que só começou a mudar em meados do século xix, com a eclosão da

Guerra da Crimeia em 1853. De um lado o Império Russo, de outro a aliança entre o Império Turco-Otomano, a Grã-Bretanha, a França e o reino da Sardenha. Como pano de fundo, as disputas pelos territórios pertencentes ao decadente Império Otomano. No campo de batalha, o caos reinava nos hospitais de campanha ingleses: tifo, cólera e infecções matavam mais do que os tiros inimigos. Nesse cenário surgiu uma mulher à frente das 38 enfermeiras voluntárias que ela treinara: Florence Nightingale, a "Dama da Lamparina".

Nascida na Itália em uma família influente de pais ingleses, Florence recebera a educação aristocrática que impunha às meninas o papel de futuras mães de família, subservientes à autoridade paterna e à dos maridos. Contra a vontade dos pais, no entanto, desde jovem Florence se dedicou à enfermagem.

Dama da Lamparina foi como os soldados internados nos hospitais de campanha chamaram aquela moça esguia que visitava seus leitos à noite, para confortá-los, aliviar suas dores e verificar se os cuidados padronizados por ela tinham sido tomados.

Terminada a guerra, Florence fundou a escola de enfermagem do Hospital St. Thomas, em Londres, que lançou as bases modernas da profissão. Passou o resto da vida comprometida com a promoção e a organização da enfermagem. Uma de suas maiores conquistas foi treinar enfermeiras para cuidar das pessoas mais pobres em suas casas, inovação que muitos consideram precursora do National Health Service inglês, que surgiria cinquenta anos depois.

A assistência médica no Brasil é centrada na figura do médico. É voz corrente que as enfermeiras nos ajudam a cuidar dos doentes, uma inversão de valores injusta: nós é que as ajudamos; quem cuida são elas.

A qualidade do atendimento de pacientes num hospital ou num serviço ambulatorial é ditada pelo corpo de enfermagem e por outras profissionais não médicas, que compreendem psicólogas, nutricionistas, fisioterapeutas, terapeutas ocupacionais, fonoaudiólogas, técnicas em limpeza e desinfecção, atendentes e farmacêuticas, entre outras. Cito-as no feminino porque a maioria esmagadora é de mulheres.

Aos médicos e médicas cabe solicitar e interpretar exames, definir as linhas gerais do tratamento e prescrever as medicações indicadas.

Amparar o doente enfraquecido, puncionar veias para administrar soro e antibióticos nos horários prescritos, trocar o pijama e os lençóis da cama, recolher a urina, dar banho depois de um episódio de diarreia e tranquilizá-lo nos momentos de fragilidade psicológica na solidão das madrugadas não são tarefas realizadas por médicos. Para alguém que se recupera de uma doença que compromete os pulmões, por exemplo, são fundamentais os exercícios respiratórios e os procedimentos que dependerão do contato direto com o doente e do empenho de fisioterapeutas. O médico se limita a anotar na prescrição: fisioterapia respiratória.

Ciosos de nossa exclusividade pelos chamados atos médicos, não é raro impedirmos que outros profissionais exerçam atividades para as quais foram preparados, depois de frequentar quatro ou cinco anos de universidade, muitas vezes seguidos de cursos de pós-graduação. Corporativistas, não deixamos que se encarreguem sequer de alguns acompanhamentos ambulatoriais que não conseguimos ou não temos vocação para fazer.

Entre outros exemplos, o controle da pressão arterial de quem sofre de hipertensão, crucial para evitar complicações que encurtam a vida e aumentam os custos do SUS e da saúde suplementar. Entregamos aos pacientes uma receita com os medicamentos que devem tomar, muitas vezes sem esclarecer com a devida ênfase a natureza crônica da doença e suas possíveis consequências nem reforçar a necessidade da aderência ao tratamento. O resultado é catastrófico. As estatísticas mostram que no fim do primeiro ano cerca de metade dos pacientes interrompeu a medicação. Na outra metade estão os que o fazem de forma irregular e os que mantêm níveis pressóricos ainda elevados sem desconfiar.

Se os controles da hipertensão e de outras enfermidades crônicas ficassem a cargo da enfermagem e do farmacêutico que a legislação obriga a estar presente na farmácia da esquina, em contato direto com os pacientes, não seria mais inteligente? Não é ridículo obrigar estudantes a passar quatro anos nas faculdades de farmácia e bioquímica para deixá-los de plantão em funções burocráticas nas drogarias?

É claro que não caberia a esses profissionais prescrever hipotensores, hipoglicemiantes, antibióticos e outros tratamentos que exigem formação especializada, mas explicar como os medicamentos devem ser tomados, quais os efeitos colaterais mais comuns, as possíveis interações medicamentosas, e encaminhar ao médico aqueles com má resposta à medicação prescrita.

Pequenos municípios com grande dificuldade para atrair médicos podem estruturar as equipes do Estratégia Saúde da Família — considerado um dos melhores programas de saúde pública do mundo — sob o comando de enfermeiras que tenham acesso a unidades básicas de saúde de cidades mais próximas, para transferir os casos que não cabem a elas resolver.

Não se trata de deixar que os mais pobres recebam cuidados precários, mas de garantir acesso à assistência aos que não têm nenhuma. Basta criar protocolos com critérios rígidos, de modo que cada profissional conheça os limites de sua atuação e possa executar as funções para as quais foi preparado.

Quando a pandemia do novo coronavírus abarrotou as UTIs dos países europeus, os telejornais exibiam imagens de pessoas na janela de sua casa aplaudindo a atuação dos médicos. Claro que meus colegas faziam jus ao reconhecimento pelo trabalho realizado, mas a enfermagem merecia ainda mais.

Durante a pandemia, quantas enfermeiras se separaram de seus familiares e ficaram sem ver os filhos, para não colocá-los em risco de se infectar pelo coronavírus? Como elas lidaram com o medo de acabar na mesma situação dos pacientes de quem cuidavam? E com o medo de morrer? Quando todos se escondem do vírus, que motivação faz essas mulheres saírem de casa todos os dias para ir aonde o vírus está? Quanta força pode ter a generosidade humana.

Medicina no século XXI

Quando criança, imaginava que se estivesse vivo no ano 2000 seria um homem muito velho. Entrei no século XXI com 57 anos, numa forma física que me permitia correr maratonas.

Embora a desigualdade social persistisse, o crescimento econômico das décadas anteriores se refletia na melhora das condições de vida e da saúde dos brasileiros. A média da expectativa de vida ao nascer, que em 1967 mal atingia 55 anos, já havia chegado aos setenta na virada do século.

O envelhecimento mudara as características e o perfil epidemiológico da população. O país predominantemente agrícola tinha visto a maioria de seus habitantes migrar para as cidades, onde o saneamento básico não alcançava a maior parte dos migrantes. Ainda assim, as endemias rurais deixaram de ser as doenças mais prevalentes.

A segunda metade do século XX experimentou grandes avanços no campo da agricultura e na tecnologia de armazenagem, conservação e processamento de alimentos. Entre nós, a fundação da Empresa Brasileira de Pesquisa Agropecuária (Embrapa) permitiu criar uma agricultura tropical que tornou produtivas as terras de extensas regiões do Centro-Oeste e possibilitou desenvolver lavouras menos dependentes do clima no Nordeste.

Na história da humanidade, nunca houve tanta fartura de alimentos de qualidade acessíveis a grandes massas populacionais. No Brasil, gradualmente, a fome ficou restrita a certas épocas do ano e em pequenos bolsões de regiões distantes. Essa realidade se modificaria com o surgimento da pandemia do novo coronavírus em 2020, que reconduziu a insegurança alimentar à periferia dos conglomerados urbanos.

Os anos 1990 já haviam assistido à expansão da indústria alimentícia, potencializada pelas campanhas publicitárias nos meios de comunicação de massa. Biscoitos, salgadinhos, iogurtes doces, achocolatados, sucos açucarados e refrigerantes tamanho família entraram na casa dos mais desfavorecidos, que encontraram opções mais práticas e baratas do que frutas e legumes. Ao mesmo tempo, a presença da mulher no mercado de trabalho dificultava a preparação da dieta baseada no arroz com feijão, anteriormente presença universal na mesa brasileira.

A consequência foi o consumo explosivo de alimentos de baixo custo, ricos em carboidratos, gorduras e conteúdo calórico. Acompanhando a tendência mundial e, principalmente, a de países como Estados Unidos, México e Egito, os brasileiros começaram a ganhar peso. Mulheres, homens, adolescentes e crianças, brancos, negros, descendentes de asiáticos e até indígenas em contato com brancos engordaram.

A mudança dos hábitos alimentares veio acompanhada de dois outros fenômenos que contribuíram decisivamente para a mudança do perfil epidemiológico: a vida sedentária e o crescimento rápido da população na faixa etária acima de sessenta anos.

A tríade obesidade, sedentarismo e envelhecimento criou as bases para a mudança radical do padrão epidemiológico; migra-

mos daquele das endemias rurais para o das doenças crônico-
-degenerativas: hipertensão arterial, diabetes, doenças reumatológicas, problemas ortopédicos, doenças pulmonares obstrutivo-
-crônicas, degenerações neuropsiquiátricas, enfermidades crônicas associadas ao aumento do risco de infartos do miocárdio, derrames cerebrais, insuficiência renal crônica, perda de visão, obstruções arteriais, demências, transtornos psiquiátricos e outras condições que demandam assistência médica continuada, exames laboratoriais, imagens de apoio, tratamentos dispendiosos, hospitalizações frequentes e abordagens multidisciplinares, com a participação de enfermeiras, fisioterapeutas, psicólogas, fonoaudiólogas, assistentes sociais, terapeutas ocupacionais.

Nos anos 1960, qualquer um de nós era capaz de tratar pacientes com hipertensão ou diabetes, porque só dispúnhamos de meia dúzia de medicamentos. Hoje, há tantas classes (cada uma com diversas drogas) deles, que o ideal é encaminhar os pacientes para os especialistas.

A assistência médica se tornou dependente de instalações ambulatoriais, hospitais equipados, laboratórios clínicos, serviços de radiologia e, sobretudo, de recursos humanos.

Para aumentar a complexidade, cinquenta anos atrás o país não prestava assistência à maioria dos brasileiros, descaso inaceitável depois da criação do SUS. A necessidade de dar acesso à saúde a toda a população criou um enorme desafio que o sistema único tem procurado enfrentar: assistir os 170 milhões de habitantes que dependem exclusivamente do sistema único e também aqueles que a saúde suplementar deixa de atender por alguma razão.

Apesar do financiamento insuficiente, das interferências políticas, da definição inadequada de prioridades, da corrupção, das mudanças bruscas de comando e da descontinuidade de programas importantes, o SUS tem conseguido prestar serviços de saúde que jamais chegariam a tantos se ele não existisse.

Quando lembro que minha infância não teve pediatra nem vacinas e que, ao me formar, quem trabalhava sem carteira assinada era classificado como "indigente" ao chegar aos hospitais, fico impressionado como conseguimos implantar um dos serviços de saúde pública mais respeitados do mundo.

Desafio até certo ponto semelhante é enfrentado pela saúde suplementar, obrigada a se ajustar aos tempos com níveis baixos de inflação, realidade que decretou o fim da especulação desenfreada. Sem os lucros auferidos no mercado financeiro, as operadoras se viram forçadas a lidar com os custos crescentes da medicina — que aumentam quase 20% ao ano por causa da incorporação de novos tratamentos e tecnologias —, sem ter a possibilidade de repassá-los integralmente a seus usuários, empobrecidos pelas sucessivas crises econômicas que têm atormentado o país nas últimas décadas.

Esse sistema híbrido, meio público, meio privado, deu origem a contradições que se prestam a mal-entendidos constantes: assim como os que dependem do SUS sofrem com as dificuldades para conseguir consultas e internações, os que contratam um plano de saúde reclamam que o médico não lhes dá atenção, que os exames demoram para ser marcados e que lhes foi negado determinado procedimento.

O problema é que nem o SUS nem a saúde suplementar estavam preparados para enfrentar a mudança do padrão epidemiológico da população que envelhecia numa velocidade bem maior que a dos países industrializados.

Esperar que as pessoas adoeçam para só então tratá-las é uma política suicida para qualquer sistema de saúde. Ou interferimos com estratégias de prevenção, ou faltarão recursos financeiros para mantermos a assistência médica no país.

Veja o caso dos Estados Unidos, país que investe em saúde 17% ou mais de um Produto Interno Bruto de 19 trilhões de dólares anuais. São cerca de 3,2 trilhões de dólares para atender os que procuram os serviços de saúde, ou seja, o país gasta com saúde cerca de 50% mais do que o PIB inteiro do Brasil, uma das doze maiores economias do mundo. Para justificar tamanho investimento, quantos anos deveria viver o americano médio? Cem anos? Pois em 2019 vivia em média 78,8 anos, dez anos menos do que os japoneses e um pouco menos do que catarinenses e paulistas.

A conclusão é lógica: dinheiro é condição necessária, mas não suficiente para manter sistemas de saúde de boa qualidade.

O exemplo americano é didático. Os Estados Unidos chegaram a essa situação porque adotaram um modelo centrado na assistência médica privada, que deixou para trás a prevenção e a atenção primária.

A consequência mais eloquente dessa política está refletida no aumento do peso da população: 42% dos americanos adultos estão na faixa de obesidade (IMC >= 30), enquanto os que sofrem de obesidade grave (IMC >= 40) são 18% dos adultos. No total, há 99 milhões de adultos obesos no país. Os índices de excesso de peso e de obesidade também são crescentes em crianças e adolescentes.

Um estudo realizado pela Escola de Saúde Pública da Universidade Harvard, publicado no *The New England Journal of Medicine*, fez uma projeção apontando que, se a tendência atual se mantiver, em 2030 cerca de 50% dos americanos adultos serão obesos, um contingente de 164 milhões de pessoas. A obesidade grave estará instalada em 25% dos adultos, ou seja: um em cada quatro adultos será candidato à cirurgia bariátrica.

Desconfio que nem o PIB americano inteiro seria suficiente para arcar com os gastos de complicações ortopédicas, doenças cardiovasculares, diabetes, câncer e demais enfermidades crônicas associadas ao acúmulo excessivo de gordura.

Nós, no Brasil, caminhamos na esteira da epidemia deles. A

Pesquisa Nacional de Saúde realizada em 2019 mostrou que 60% dos brasileiros adultos estavam acima do peso (eram 40% em 2003) e que 30% dos adultos estavam obesos (eram 12% em 2003).

Nos meus anos de faculdade, não tivemos uma aula sequer sobre obesidade, problema entendido na época como restrito àqueles que abusavam da comida. Essa visão equivocada e preconceituosa retardou a chegada da ciência moderna a essa área da fisiologia, ignorância que explica as dificuldades para ajudar quem precisa perder peso. Afinal, o que podemos oferecer além da recomendação de que façam exercícios e reduzam o aporte calórico?

Na minha experiência, grupos de autoajuda que reúnem pessoas interessadas em emagrecer conseguem fazer mais do que os médicos. O mesmo acontece com os Alcoólicos Anônimos e os Narcóticos Anônimos no tratamento do alcoolismo e do abuso de drogas ilícitas, respectivamente. Quando leigos obtêm resultados superiores na abordagem de determinado problema de saúde é porque a medicina está muito atrasada nessa área.

Infelizmente, as faculdades ainda não preparam os alunos para lidar com a magnitude do desafio criado pela obesidade e pelo perfil epidemiológico da sociedade em que atuarão. Os anos ganhos na expectativa de vida nas últimas décadas ficam ameaçados pela disseminação epidêmica de um agravo à saúde, enquanto as escolas médicas formam profissionais sem dar prioridade a ele. Mudanças da sociedade demoram a ser percebidas pela academia.

Esperar uma pessoa desenvolver obesidade grave para tentar tratá-la sem dispor de tratamentos eficazes é frustrante, sobrecarrega o sistema de saúde e custa caro. É evidente que todos os esforços devem se concentrar na prevenção, tarefa que envolve a educação desde a infância, campanhas de esclarecimento pelos meios de comunicação de massa, medidas governamentais que dificultem o acesso a alimentos de alto teor calórico e a bebidas açucaradas, e a formação de profissionais especializados nas áreas de nutrição e da atenção primária para orientar aqueles com tendência a ganhar peso antes de se tornarem obesos.

Doentes saudáveis

A vida do século XXI ficou medicalizada. É cada vez mais difícil encontrar alguém que não faça uso contínuo de algum medicamento. Nós, médicos, temos responsabilidade por esse fenômeno, mas não somos os únicos culpados; por meio da publicidade, a indústria farmacêutica teve papel decisivo.

Parte da explicação está relacionada com os problemas de saúde característicos do envelhecimento da população: hipertensão arterial, diabetes, tabagismo, colesterol elevado, doenças respiratórias crônicas, além de outras patologias incuráveis que requerem tratamento contínuo para controlá-las.

A outra parte se deve aos avanços da própria indústria farmacêutica, ocorridos a partir da segunda metade do século XX, que permitiram obter drogas eficazes para tratar de transtornos psiquiátricos, induzir o sono, reduzir a ansiedade e o estresse, além de um arsenal de vitaminas, sais minerais e produtos fitoterápicos que apregoam resultados mágicos para emagrecer, ganhar peso e músculos exuberantes e manter as emoções sob controle.

A popularidade que as vitaminas e os suplementos alimentares adquiriram foi impressionante. Aproveitando-se da legislação, que lhes permite enquadrar-se na categoria de suplementos alimentares, muito mais permissiva do que a exigida pela Anvisa ou pelo FDA americano para os medicamentos, elas passaram a ser comercializadas mundo afora em lojas que parecem supermercados.

Ninguém contribuiu tanto para o uso generalizado de vitaminas quanto o cientista americano Linus Pauling, agraciado duas vezes com o prêmio Nobel (química e paz), que recomendava doses altas de vitamina C para neutralizar radicais livres produzidos no interior das células, processo que teria o dom milagroso de prevenir câncer, doenças cardiovasculares, gripes e resfriados, estimular a imunidade e retardar o envelhecimento celular, crenças que vieram ao encontro do sonho acalentado desde os primórdios da humanidade: obter tais benefícios sem nenhum esforço, às custas de um elixir da juventude.

Atenta às oportunidades mercadológicas, a indústria farmacêutica investiu pesado na divulgação dessas ideias. Por décadas os comerciais de vitamina C para a prevenção e tratamento de gripes e resfriados infestaram o horário nobre das tevês. Campanhas milionárias acompanharam o lançamento de inúmeros complexos vitamínicos, apresentados como capazes de realizar a proeza de manter a boa saúde dos que já gozavam dela.

Os anos 1990 assistiram ao florescimento desse mercado multibilionário nos Estados Unidos e na Europa, que se disseminou pelos países mais pobres. Hoje, metade da população americana faz uso de algum tipo de suplemento vitamínico ou fitoterápico, contribuindo decisivamente para a criação de um mercado mundial que as estimativas preveem atingir 252 bilhões de dólares em 2025.

Esse mercado, no entanto, foi criado sem evidências científicas que lhe servissem de base. Os estudos conduzidos nos últimos vinte anos envolveram um número pequeno de participantes, acompanhados durante períodos curtos e com tantos vieses estatísticos que os resultados só contribuíram para criar contradições, razão pela qual não são aceitos para publicação em revistas científicas conceituadas.

Muitos pacientes que suplementam suas dietas com vitaminas nem contam ao médico que fazem uso delas porque partem do princípio de que "se não fizerem bem, mal não farão".

Não é verdade. No Brasil, mais da metade dos transplantes de fígado realizados para tratar falência hepática aguda causada por toxicidade química ocorre por uso de chás e suplementos, e não por medicamentos hepatotóxicos prescritos por médicos.

Além dos efeitos colaterais associados às doses exageradas contidas em muitas apresentações de complexos vitamínicos, pelo menos dois estudos realizados para analisar um possível efeito protetor do betacaroteno em fumantes obtiveram resultados inquestionáveis: a administração de betacaroteno aumenta a incidência de câncer de pulmão nessa população de risco.

Na clínica, canso de ver fumantes tomando complexos vitamínicos que contêm concentrações elevadas de betacaroteno. Alguns o fazem em obediência às prescrições de médicos que não leram esses estudos.

A confiança no papel protetor das vitaminas está tão arraigada no imaginário popular que não adianta dizer que elas são úteis apenas para tratar deficiências em crianças pequenas, em pessoas com limitações para se alimentar, em condições clínicas bem definidas ou em marinheiros com escorbuto nas caravelas lusitanas.

Como escrevi uma vez em minha coluna na *Folha de S.Paulo*: "Se você não é bebê de colo, não está tão velho que não consiga mastigar e não tem a intenção de atravessar o Atlântico ao sabor dos ventos, não tome vitaminas, coma frutas, legumes e verduras e ponha o corpo para andar. Não jogue dinheiro no vaso sanitário".

Quanto mais velho fico, menos medicamentos prescrevo.

Xaropes, vitaminas, antibióticos para gripes, resfriados e qualquer dor de garganta causam mais efeitos indesejáveis do que benefícios.

Quando se trata de receitar aqueles de uso diário pelo resto da vida, então penso dez vezes. É o caso dos anti-hipertensivos para pessoas com pressão máxima em torno de 14, 15 mmHg ou com mínimas entre 9 e 10 mmHg, valores que podem voltar à normalidade com perda de peso, ajustes na dieta e aumento da atividade física.

Quando me formei, os consensos sobre hipertensão arterial eram muito permissivos: considerávamos aceitáveis níveis pressóricos de até 14 por 9 para os mais jovens. A partir dos quarenta anos de idade, julgávamos que os níveis máximos e mínimos poderiam subir 1 mmHg por década. Assim, dos quarenta ao cinquenta anos, até 15 por 10 devia ser considerado normal; dos cinquenta aos sessenta anos, até 16 por 11; dos sessenta aos setenta anos, níveis até 17 por 12. Daí em diante não havia regras, pois eram raros os que viviam tanto.

Nas décadas seguintes ficou demonstrado que essa tolerância estava associada a números elevados de mortes por doenças cardiovasculares. Níveis iguais ou acima de 14 por 9 passaram a ser enquadrados como hipertensão arterial, independentemente da idade.

Nos últimos anos, entretanto, vários estudos demostraram que a incidência de problemas cardiovasculares caía ainda mais quando os níveis pressóricos eram mantidos em 12 por 8 ou abaixo desses valores. Como esses números são difíceis de atingir em muitas pessoas, há especialistas mais radicais que já receitam anti-hipertensivos para mulheres e homens com pressão de 13 por 8,5.

Uma das dificuldades para o médico é interpretar a redução de risco nas estatísticas publicadas em estudos com milhares de participantes e o risco individual que corre o paciente que está diante de nós.

Veja o caso do diabetes, epidemia mundial que afeta pelo

menos 12 milhões de brasileiros, de acordo com a Associação Brasileira de Diabetes, que adota os seguintes critérios para o diagnóstico da doença: glicemia de jejum maior ou igual a 126 mg/dL ou hemoglobina glicada maior ou igual a 6,5%, ou glicemia acima de 200 a qualquer hora do dia, acompanhada de sintomas.

Glicemias de jejum entre 100 e 125 ou hemoglobinas glicadas entre 5,7 e 6,5% ficariam numa situação intermediária, classificada como pré-diabetes pela American Diabetes Association (ADA) a partir de 2009, nomenclatura não aceita por várias sociedades médicas e pela Organização Mundial da Saúde.

O termo "pré-diabetes" sempre me incomodou. Dá a impressão de que ao atingir essa faixa de glicemia a pessoa já não é saudável, está condenada a desenvolver a doença.

Não é o que as evidências demonstram. Segundo o CDC, dos Estados Unidos, menos de 2% desses casos evoluem para diabetes anualmente; portanto, menos de 20% nos dez anos seguintes. Outros estudos chegaram a números ainda menores.

Com o título "A guerra contra o pré-diabetes pode ser um boom para as companhias farmacêuticas, mas é boa medicina?", o jornalista investigativo Charles Piller abordou o tema na revista *Science* em 2019. Segundo ele, a estimativa é de que a adoção do critério atual para definir "pré-diabetes" coloca nessa condição de 70 milhões a 80 milhões de americanos e perto de 1 bilhão de adultos em todo o mundo.

Diante desses números, a recomendação da ADA é enfática: "O público precisa saber que hoje, nos Estados Unidos, um em cada três tem algum tipo de anormalidade na glicemia". Ainda de acordo com a ADA, como os programas dirigidos à perda de peso e mudanças no estilo de vida apresentam resultados medíocres, investir neles é "jogar dinheiro no fogo". A alternativa seria adotar o tratamento medicamentoso.

Dessa maneira, foi criado o clima para classificar como doentes pessoas assintomáticas que poderiam assim permanecer por décadas, quem sabe pela vida inteira. Atualmente, a indústria farmacêutica investe no desenvolvimento de pelo menos dez classes de drogas para tratamento do pré-diabetes, algumas das quais já prescritas mesmo sem a aprovação formal das agências reguladoras.

No artigo da *Science*, Charles Piller discute a existência de um lobby que procura influenciar a American Diabetes Association por meio de doações vultosas, bem como os médicos formadores de opinião e aqueles que participam da elaboração dos consensos da especialidade, estratégia que a indústria tem adotado e aprimorado nas diversas áreas da medicina nas últimas décadas, numa relação de promiscuidade que interfere nos rumos da prática médica.

Empresas que desenvolvem equipamentos para a medição da glicemia investem em monitores eletrônicos acoplados ao telefone celular, mais cômodos, precisos e bem mais caros do que as tradicionais picadas na ponta dos dedos. Já há especialistas que consideram o monitoramento diário da glicemia indicado para todos os adultos.

Companhias que produzem alimentos dietéticos, suplementos nutricionais e adoçantes artificiais pressionam pela aprovação de seus produtos e investem na publicidade dirigida a esse nicho do mercado.

O rótulo "pré-diabetes" transforma em pacientes pessoas sem nenhuma doença, que enfrentarão a ansiedade e os custos de acompanhamento médico, exames laboratoriais, monitores de glicemia e suplementos dietéticos que apregoam resultados jamais comprovados.

A respeitadíssima Cochrane Library, responsável por extensas revisões da literatura médica, concluiu: "Os médicos devem ser cuidadosos ao propor tratamentos para o pré-diabetes, porque não temos certeza se trará mais benefícios do que prejuízos".

Essa questão ilustra a influência crescente dos interesses da indústria no exercício da medicina moderna. Se considerarmos doentes os que apresentam glicemia, pressão arterial ou colesterol pouco acima dos limites da normalidade, hipotireoidismo subclínico e todos os que se queixarem de estresse, ansiedade, tristeza, insônia ou excesso de peso, vai ficar difícil viver sem tomar remédio.

Os males da alma

A seleção natural não nos preparou para a vida moderna. Na época das cavernas, nossos ancestrais viviam em pequenos grupos nômades, que se tornaram mais numerosos quando, há apenas 10 mil anos, a agricultura criou a possibilidade do sedentarismo.

A migração para zonas urbanas exigiu um processo adaptativo de complexidade crescente. Até pouco tempo atrás, as cidades eram pequenas e as famílias numerosas, condições que permitiam interações frequentes entre os cidadãos.

No decorrer do século XX, o processo de urbanização se intensificou, as taxas de natalidade diminuíram, o tráfego comprometeu a mobilidade urbana, a necessidade de consumir nos obrigou a trabalhar mais e a tecnologia se intrometeu em nosso cotidiano de forma opressiva. O resultado é que nos afastamos uns dos outros.

O impacto dessas transformações no equilíbrio psicológico foi grande. No Plano de Ação para a Saúde Mental 2013-2020, a Organização Mundial da Saúde calculou que um em cada dez adultos desenvolveria transtornos psiquiátricos. Haveria 700 milhões de pessoas com enfermidades mentais e neurológicas, número correspondente a 13% do total das doenças existentes no mundo. Depressão, a mais prevalente delas, afetaria 350 milhões de pessoas e se tornaria uma das maiores causas de incapacitação. A partir da década de 2020, constituiria a principal justificativa para absentismo no trabalho.

Isolamento social, competição, pressão para cumprir metas no trabalho e na vida pessoal, medo do desemprego, falta de tempo para conviver com a família e encontrar os amigos, imposição de padrões estéticos que nem todos os corpos são capazes de atender, o bombardeio incessante e agressivo das redes sociais e o pavor de sermos considerados perdedores estão entre os fatores que nos transformaram em seres estressados, angustiados, deprimidos e insones. Pegar no sono, necessidade fisiológica que desde sempre se impõe depois de um dia de vigília, virou martírio para muitos.

Na década de 1950, foram sintetizados os primeiros benzodiazepínicos, lançados no mercado como ansiolíticos e indutores do sono, classe à qual pertencem diazepam, clonazepam, alprazolam, lorazepam e outros medicamentos. O uso dessas drogas se disseminou de tal forma, que seu consumo mundial duplica a cada cinco anos.

Nos Estados Unidos, diazepam foi o medicamento mais prescrito entre o final da década de 1960 e o início da de 1980. No Brasil, os benzodiazepínicos constituem a terceira classe de medicamentos mais prescrita pelos médicos. Entre 2% e 4% da população adulta é usuária crônica deles, contingente formado por mulheres e homens que não conseguem conciliar o sono sem tomar um comprimido.

Faz parte da rotina atender pela primeira vez um paciente com um problema de saúde qualquer que, no final da consulta, pede uma receita de uma dessas drogas. A justificativa é de que faz uso diário dela há vinte anos ou mais.

Acontece que os benzodiazepínicos são indicados para administração por períodos que não devem ultrapassar de dois a quatro meses. São drogas que causam dependência química, tolerância e uma síndrome de abstinência que se instala em poucos dias. Seu uso prolongado, especialmente por pessoas mais velhas, pode causar sedação, sonolência diurna, alterações na coordenação motora, quadros de depressão, risco de quedas, de acidentes no trânsito, dificuldade de concentração e déficit de memória. E, embora faltem estudos mais completos, o uso crônico é suspeito de aumentar o risco de demências.

Não obstante esses efeitos colaterais, o benzodiazepínico mais comprado em nossas farmácias, o clonazepam, tem 23 genéricos e seis similares. Em 2010, foram comercializadas 10,5 milhões de caixas, número que saltou para 23 milhões em 2015. Segundo a Anvisa, é o vigésimo medicamento mais vendido no país.

Em 2019, as vendas de benzodiazepínicos chegaram a 56 milhões de caixas, ou seja 1,4 bilhão de comprimidos num só ano. São as drogas legais de que as pessoas mais abusam no Brasil.

Como a Anvisa exige receituário especial para essa classe de medicamentos, como explicar que os médicos sejam tão condescendentes diante de tantos riscos? A explicação é o desconhecimento das consequências do uso prolongado e a dificuldade para convencer e ajudar o usuário crônico a enfrentar a dependência. O argumento da impossibilidade de pegar no sono sem tomar o medicamento é muito convincente.

Em 2006, quando comecei a atender na penitenciária feminina de São Paulo, havia uma epidemia de diazepam, droga de baixo custo disponível na farmácia do presídio. Para mulheres presas, geralmente mães de filhos que se ressentem da ausência dos cuidados maternos, não faltam preocupações nem dificuldade para dormir, inconvenientes que o médico pode resolver com uma simples prescrição.

Ao lidar com as dependentes, adotei a conduta de explicar os efeitos colaterais, a dependência química e a síndrome de abstinência, problemas para os quais não tinham sido alertadas por quem fizera a prescrição. Para evitar a abstinência consequente à interrupção brusca do tratamento, passei a recomendar que raspassem com um alfinete quantidades mínimas do comprimido, mas decrescentes a cada duas ou três noites, de modo a interromperem o uso em cerca de dois meses. Mais tarde, conseguimos que os psicotrópicos só fossem prescritos pelo psiquiatra do presídio.

O mesmo abuso aconteceu com os antidepressivos modernos, drogas com menos efeitos colaterais do que as das gerações anteriores, indicadas também para os transtornos de ansiedade, bulimia nervosa, TOC e até para os sintomas disfóricos pré-menstruais.

Apesar da comodidade da administração em doses diárias, por via oral, os efeitos colaterais não são desprezíveis: alterações do hábito intestinal, secura na boca, astenia, cansaço fácil, palpitações, perda de apetite, tremores, nervosismo, redução ou perda da libido, disfunção erétil e erupções de pele, entre outros.

Quando bem indicados, os antidepressivos costumam apresentar uma relação custo/benefício favorável, mas há dois problemas: 1) os pacientes recebem a prescrição sem o alerta das possíveis reações indesejáveis; 2) não são informados de que o tratamento deve ter duração de no mínimo seis meses e de que precisam esperar três ou quatro semanas para obter os primeiros benefícios, enquanto os efeitos colaterais se instalam nos primeiros dias. Sem essas informações, muitos interrompem a medicação precocemente, antes de experimentar melhora.

Ao lado da falta de informação há a prescrição indiscriminada para pessoas que se queixam de estar tristes, de luto pela perda de um parente, um pouco ansiosas, estressadas, apreensivas e em outros estados da alma inseparáveis da condição humana. As prescrições são assinadas por clínicos gerais, cirurgiões, ginecologistas, ortopedistas e outros médicos sem preparo em psiquiatria. Parte expressiva das compras desses medicamentos controlados é feita pela internet, sem prescrição. Dessas distorções resulta o consumo indiscriminado de antidepressivos e ansiolíticos.

A pandemia do coronavírus agravou esse quadro: a compra de antidepressivos, ansiolíticos e indutores do sono entre agosto de 2020 e fevereiro de 2021 mais do que duplicou em relação ao mesmo período antes da epidemia.

Esses dados nos ensinam que fatores sociais, o despreparo da classe médica a respeito das ações desses medicamentos, os interesses e a influência da indústria farmacêutica, a crença em soluções farmacológicas para os problemas que nos afligem, a busca exaustiva da felicidade como valor de prestígio e ascensão social nos levaram à cultura da medicalização da vida cotidiana, legado que deixaremos para as gerações futuras.

A internet

No início dos anos 1980, fiz um curso no Roswell Park, em Buffalo, um dos centros de oncologia mais importantes dos Estados Unidos. Lá conheci um urologista cearense que emigrara nos anos 1970: Edson Pontes. Ficamos amigos. Um ano depois, Edson foi convidado para chefiar o departamento de urologia da Cleveland Clinic, na cidade desse nome.

Na primeira visita que fiz a essa clínica, em 1985, ele me apresentou ao oncologista clínico Ronald Bukowski, um dos especialistas em câncer de rim mais respeitados do país. Foi o início de uma amizade fraterna que mantemos até hoje, responsável por trabalhos conjuntos, várias visitas à Cleveland Clinic, encontros no Brasil e em inúmeros congressos internacionais.

Numa tarde em que eu acompanhava o atendimento ambulatorial na clínica, chegou um fax com o relatório do paciente que veríamos a seguir, enviado de um hospital de Los Angeles. Achei o máximo colocar informações num papel em uma máquina na Califórnia e elas chegarem até nós em tempo real.

Assim que voltei para o Brasil, comprei um aparelho de fax.

Custava caro, mas achei que valia a pena. Adquiri o hábito de colocar o número do fax em todos os exames laboratoriais que solicitava. No dia seguinte, quando acordava, já recebia os resultados em casa.

Certa manhã, mal consegui ver o tapete da sala, encoberto por folhas de fax com os resultados dos exames colhidos na véspera. Entendi que precisava acordar mais cedo. Aquela tecnologia viera para me fazer trabalhar mais.

Quando o e-mail aposentou o fax, achei ótimo: nada de papel nem da necessidade de um aparelho acoplado ao telefone. Além do mais, a agilidade para me comunicar com os pacientes e a possibilidade de responder às mensagens pelo computador de casa diminuíam a necessidade de ficar até mais tarde no consultório.

O otimismo chegou ao fim quando a caixa postal do correio eletrônico transbordou.

Um dia, uma paciente que viajara para os Estados Unidos me trouxe um pacote do tamanho de uma caixa de sapato embrulhado num papel com motivos natalinos. Estranhei. Como ela descobrira o número que calço?

Era um telefone celular do tamanho de um sapato número 45.

Naquele tempo, andávamos com um bipe pendurado no cinto. O paciente que precisava falar conosco telefonava para uma central, mencionava o número do nosso bipe e a central anotava o telefone do paciente. O som repetitivo e enervante do bipe nos avisava de que havia um recado para nós na central. Telefonávamos para lá, anotávamos o número de quem nos procurava e ligávamos de volta, operação que muitas vezes fazíamos nos telefones públicos espalhados pela cidade, os orelhões. Para tanto, não saíamos de casa sem fichas telefônicas no bolso.

O celular resolveu os inconvenientes do bipe, mas criou a possibilidade de entrar em contato com o médico por motivos irrelevantes, a qualquer hora do dia ou da noite, na expectativa de que ele respondesse onde quer que estivesse. Fiquei tão traumatizado que até hoje preciso refrear o ímpeto de atender meu celular quando ouço, na tela da TV ou do cinema, o som de um telefone. Quando estou num ambiente e um celular toca, sinto um tremendo alívio ao perceber que não é o meu.

Calado, um personagem sinistro observava as consequências dessa invasão da tecnologia no cotidiano de mulheres, homens e crianças: Satanás.

Talvez impaciente com o aumento da expectativa de vida da humanidade naquele início do século XXI, que o obrigava a aguardar mais de setenta anos para punir um pecador, o Coisa Ruim decidiu abrir na Terra uma sucursal do inferno. Assim surgiu o celular inteligente, a mais diabólica das invenções.

Os smartphones e suas telas coloridas colocaram a humanidade on-line 24 horas por dia nos 365 dias do ano. Aplicativos de redes sociais como WhatsApp, YouTube, Instagram, Twitter, Facebook, jogos eletrônicos e uma infinidade de outros aprisionaram crianças e adultos numa teia virtual tão emaranhada que em dez anos transformou as relações inter-humanas de forma radical, como nunca havia ocorrido em toda a história do *Homo sapiens.*

De um lado, a tecnologia incorporada ao cotidiano nos tornou mais competentes e competitivos, portanto mais aptos a ganhar e a consumir mais; de outro, ficamos inquietos, estressados, ansiosos e, paradoxalmente, isolados uns dos outros. Entretidas o tempo todo com a invenção do Belzebu, as crianças se tornaram seres mudos e quase invisíveis dentro de casa. Depressão e transtornos de ansiedade se infiltraram nas famílias e preocupam até as empresas, por interferirem na produtividade dos funcionários.

No caso particular dos médicos, a jornada de trabalho ficou interminável. Não há dia em que eu vá para a cama com a sensação do dever cumprido. Com as mais de cinquenta mensagens que chegam por WhatsApp ou e-mail diariamente, volta e meia me vem à mente a imagem do tal Sísifo, empenhado em carregar para o topo da montanha a pedra implacável que rolará para o sopé. Nem bem acabo de responder trinta mensagens, aparecem mais doze na tela. Ao ouvir ou ler a frase "Você não respondeu", entro em pânico como na escola primária diante da professora que me cobrava a lição por fazer.

Os prontuários médicos de papel, onde escrevíamos o histórico, a evolução, os tratamentos e os principais exames realizados, muitas vezes com caligrafias ininteligíveis, ficaram obsoletos. O prontuário eletrônico trouxe inúmeras vantagens, mas também um grande inconveniente: mundo afora os médicos ficaram encarregados de digitar tantos itens para documentar cada consulta e atender às exigências burocráticas de suas fontes pagadoras, que passaram a gastar mais tempo no computador do que com o doente. Uma pesquisa feita com médicos de grandes hospitais americanos mostrou que o tempo dedicado ao paciente está reduzido em média a 30% do total do tempo da consulta.

Qual o sentido de exigir tantos anos de formação e de especialização de um médico para depois desperdiçá-los obrigando o profissional a cumprir funções burocráticas alheias à relação médico-paciente?

Apesar desses dissabores, não tenho saudades do passado. Usada com sabedoria, a internet nos dá acesso a um universo com o qual nem sonhávamos. As conexões on-line que os cientistas puderam estabelecer criaram redes de compartilhamento de dados e de ideias que se disseminaram entre os pares a uma velocidade jamais imaginada pelas vias de comunicação do passado.

Quando Wallace e Darwin poderiam imaginar que o mecanismo de seleção natural descrito por eles tinha suas raízes em quatro bases (adenina, timina, citosina, guanina) alinhadas nas moléculas de DNA e RNA, numa ordem tal que bastaria modificar a posição de uma delas para surgir uma mutação que ajudaria a explicar a diversidade da vida na Terra? E que esse alinhamento seria sequenciado em máquinas que identificariam a ordem em que milhões, bilhões de bases estão dispostas no genoma de qualquer animal ou vegetal? E que ficaria comprovado, de fato, sermos nós, os peixes, os insetos, as bactérias, os eucaliptos e as samambaias descendentes dos mesmos ancestrais?

Quando Wilhelm Roentgen, o pai da radiologia moderna, imaginaria que os raios X descobertos por ele em 1895 permitiriam obter imagens do corpo humano tão nítidas como as reveladas pelas tomografias, cintilografias e ressonâncias? E que essas imagens poderiam ser interpretadas por radiologistas a quilômetros de distância do paciente?

Numa conversa, o saudoso professor Adib Jatene, um dos introdutores da cirurgia cardiológica no país, disse que ao sair da faculdade os médicos da geração dele só contavam com exames laboratoriais, eletrocardiograma e o raio X simples ou contrastado, sem dispor de outros recursos diagnósticos. Respondi que meus colegas e eu também só contávamos com esses mesmos exames quando nos formamos quinze anos depois.

Agora a velocidade de incorporação de novas tecnologias é tão rápida que fica impossível prever como será a prática da medicina daqui a quinze anos.

Além das inovações tecnológicas, os grandes estudos multicêntricos internacionais que incluem milhares de participantes em diversos países, os consensos das sociedades de especialistas, que definem critérios para chegar ao diagnóstico e estabelecer as linhas gerais de tratamento em cada fase das doenças, abriram a possibilidade de democratizar a medicina baseada em evidências. A frase "De acordo com a minha experiência...", que punha fim a discussões, quando pronunciada pelos professores de faculdade e pelos mais velhos, deixou de ser o argumento definitivo.

A medicina atual é de qualidade incomparável à da que praticávamos na época em que cada um de nós decidia como tratar os pacientes com base em nossos conhecimentos e nossas experiências anteriores. Quantas condutas absurdas vi os médicos defenderem naquele tempo! Quantas vezes terei deixado de fazer melhor por falta de acesso a informações e a trabalhos já publicados?

Dias atrás, um colega me telefonou para saber se era seguro vacinar contra a covid um paciente com uma síndrome com o nome de dois autores de quem eu nunca ouvira falar. Antes que ele terminasse de fazer a pergunta, eu já tinha, na tela à minha frente, as características dessa síndrome que afeta menos de duas crianças em cada milhão de nascimentos.

As mulheres

Apaixonado por Beatriz, o jovem Dante Alighieri procurava qualquer pretexto para se aproximar dela. Quando o pai de Beatriz faleceu, o poeta foi ao velório, mas não pôde entrar na casa porque o direito de chorar com os familiares ficava restrito às mulheres; os homens eram mantidos do lado de fora. Pensando no sofrimento da amada, o poeta não conseguiu conter o choro. Ao vê-lo chorar, as mulheres que saíam da casa lhe disseram: "Por que choras, és um homem".

As mulheres sempre estiveram presentes nos momentos cruciais da existência humana: no nascimento, na doença e na morte. Na hora do parto, os homens eram expulsos do quarto em que o filho estava para nascer; a mãe, as irmãs, as amigas e as vizinhas confortavam a parturiente e tomavam as demais providências; na doença elas é que passavam as noites à beira do leito; na morte, preparavam o corpo para o enterro e choravam em volta do caixão.

Dessas ancestrais, as mulheres modernas herdaram a capacidade de cuidar de sua saúde e da saúde da família inteira. Quando têm acesso à assistência médica, procuram o ginecologista ao iniciar a vida sexual, a primeira de uma série de consultas que só terminará na velhice extrema; repetem mamografias todos os anos, em aparelhos que comprimem os seios entre duas placas; na gravidez, mesmo as que vivem em condições desfavoráveis, se esforçam para não perder as consultas do pré-natal.

Nós, homens, somos relaxados: fugimos dos médicos e dos exames preventivos, não tomamos os medicamentos com a regularidade prescrita, aceitamos que o corpo acumule gordura e convivemos com sintomas desagradáveis por meses ou anos antes de procurar atendimento.

Por trás dessa indisciplina e falta de bom senso está o mito do sexo forte. Quando pequenos, nos dizem que homem não chora, não leva desaforo para casa mesmo que o adversário tenha o dobro da nossa idade e tamanho, que precisamos proteger nossas irmãzinhas porque elas são frágeis, entre outros ensinamentos equivocados que carregamos como verdades pelo resto da vida.

Do ponto de vista biológico, contraditoriamente, a inferioridade nos acompanha do nascimento ao último suspiro. Na primeira infância, as meninas desenvolvem habilidades cognitivas bem antes. A menina de dois anos fala tudo, as frases têm sujeito, verbo e predicado, enquanto o menino da mesma idade se comunica com grunhidos que só a mãe diz entender.

Na puberdade, o corpo feminino adquire formas graciosas, prenúncio da mulher na qual se transformará. O menino púbere vive num limbo: não é mais criança nem adulto. O corpo fica desengonçado, o rosto cheio de espinhas, a voz desafina, a autoimagem se distorce, e as meninas nem olham na cara dele, estão interessadas nos mais velhos.

Mais tarde, concebemos filhos. A natureza reservou ao homem um papel desprezível na gestação de uma nova vida. O interesse da futura mãe é apropriar-se de um espermatozoide, o mais apto entre os 300 milhões ejaculados. Do resto, ela cuida sozinha.

Perto da complexidade do organismo feminino, capaz de construir em nove meses e por conta própria uma criança com todos os órgãos formados, o masculino é rudimentar.

Ao passar dos 45 anos, os homens começam a correr o risco de doenças cardiovasculares, ameaça que só atingirá as mulheres depois da menopausa. Morremos mais cedo do que elas em todos os países do mundo; no Brasil, a expectativa de vida é sete anos mais baixa.

A realidade é que o corpo do homem é mais frágil. A seleção natural nos garantiu músculos fortes e ossos robustos, porque esses foram atributos essenciais desde as savanas da África para atrair as mulheres, seres que viviam em busca permanente dessas qualidades para aumentar a probabilidade de sobrevivência da prole. A energia que elas não despenderam na construção de um corpo fisicamente mais forte pôde ser investida na formação de um dos sistemas com mais demandas energéticas: o sistema imunológico, muito mais importante para a sobrevivência do que a força bruta.

Para nossa sorte, entretanto, contamos com a ajuda delas para impedir que acabemos mal. Mães, irmãs, tias, avós, namoradas e esposas costumam se preocupar com a nossa saúde muito mais do que nos dignamos a fazê-lo.

Anos atrás li, no *Journal of Urology*, uma pesquisa conduzida com homens operados de adenocarcinoma de próstata em estágio inicial, diagnosticado nas determinações seriadas do PSA e no toque retal. Quando perguntaram aos pacientes por que haviam procurado o urologista sem que apresentassem queixas urinárias, somente para fazer a avaliação de rotina, cerca de 70% afirmaram ter sido por insistência de uma mulher.

Nas consultas médicas é comum a esposa ou a filha saberem mais detalhes da evolução do caso, lembrarem de datas e descreverem com mais precisão os sintomas do que o marido ou o pai doente. Boa parte dos homens terceiriza seus problemas de saúde para uma mulher.

Nós, médicos, somos atentos à organização em ordem temporal dos sinais e dos sintomas. É claro que uma dor com dez dias de duração tem significado diferente de uma dor idêntica que persiste por três meses, e que perder cinco quilos em um ano não é o mesmo do que em um mês. A dificuldade é que a maioria dos doentes não tem noção das datas e da sequência de aparecimento da sintomatologia. Quando perguntamos há quanto tempo surgiu tal queixa, é comum ouvir: "Foi num feriado", "Começou no batizado do meu neto" ou "Uns meses depois do casamento da minha filha". Nas cadeias, a resposta universal é: "Tem uns dias já".

Como as relações matrimoniais nem sempre são harmoniosas, a tarefa de conciliar as informações vindas de um e de outro pode ser árdua. Uma vez perguntei a um doente com hemorragia intestinal e anemia quando ele notara o sangramento pela primeira vez. Ele respondeu que fazia dois meses; a mulher, que o acompanhava, retrucou: "Sete meses". A alternância de diarreia com obstipação, importante nesses casos, aparecera três meses antes, segundo ele, enquanto, na contagem dela, havia quase um ano. As discrepâncias se acentuaram até o marido perder a paciência: "Então fala você com o médico, eu não digo mais nada".

Homem de palavra, permaneceu enfezado, em silêncio, até nos despedirmos no fim da consulta.

A generosidade, a empatia e a solidariedade feminina com o homem doente são incomparáveis às que ele manifesta numa situação inversa. Em tantos anos de atividade, conto nos dedos os homens que foram sozinhos ou com um amigo receber quimioterapia. Homens acompanhando mulheres existem, mas são raros; ao lado delas há sempre outra mulher, uma parente próxima, distante ou uma sem grau de parentesco.

Em qualquer dia da semana, nos hospitais, haverá uma acompanhante que passará a noite ao lado da pessoa enferma; homens nessa função são exceções. Não que se neguem a ajudar nos cuidados com o familiar hospitalizado; eles insistem que até gostariam, mas alegam que precisam trabalhar no dia seguinte, que não conseguem dormir no sofazinho reservado ao acompanhante, que são desajeitados para essas coisas, que não conseguem assistir ao sofrimento da pessoa amada e o que mais a imaginação sugerir. Para cada filho que permanece o dia inteiro com a mãe doente, devo ter visto cem filhas ao lado dos pais em circunstâncias semelhantes.

Na cadeia, aprendi que a solidariedade feminina transcende as questões relacionadas à saúde. Conheci mulheres que visitaram o companheiro preso por vinte anos ou mais, sem faltar um fim de semana sequer, tarefa que impõe enfrentar horas de fila e passar por revistas corporais que envolvem as partes íntimas. No caso de Majestade, um preso do pavilhão Nove, foram exatos trinta anos, período em que o casal concebeu quatro filhos que lhes deram sete netos.

Na penitenciária feminina, convivi com a situação inversa. Como regra, a mulher presa é abandonada à própria sorte pelo companheiro e pela família, muitas vezes até pela mãe, que se sacrifica em viagens de ônibus para visitar o filho preso no interior do estado, mas esquece da filha que cumpre pena na capital.

Doenças graves e as que se arrastam por muito tempo criam situações de estresse que colocam à prova os laços familiares, em particular o relacionamento dos casais. Os parentes não costumam negar ajuda nas emergências que serão resolvidas em poucos dias: cirurgia, atropelamento, ataque cardíaco, desastre no trânsito. Quando a doença se prolonga por semanas ou meses, entretanto, a boa vontade de filhos, netos e parentes próximos se dispersa aos poucos, até que a responsabilidade pelos cuidados caia nas costas de uma única pessoa, quase sempre uma mulher.

Doenças fatais impõem uma dificuldade especial ao médico:

interpretar as verdadeiras intenções do familiar que defende medidas piedosas a fim de evitar mais sofrimento diante do fim que se aproxima.

No início de minhas atividades no Hospital do Câncer, ouvi de um cirurgião mais velho: "Você precisa tomar cuidado com os parentes que pressionam para que tudo acabe mais depressa. Na maioria das vezes, estão defendendo interesses pessoais".

O tempo se encarregou de realçar o significado desse conselho que considerei um exagero pessimista na época. Conviver com o sofrimento de uma pessoa amada é um processo doloroso que pode nos fazer desejar a morte para dar fim às provações causadas por ela. O mesmo desejo, porém, às vezes esconde nossa incapacidade de lidar com a angústia causada pela dor do outro ou até motivações menos nobres, como o cansaço das limitações e inconveniências que o convívio com um familiar doente impõe em nossa vida pessoal. Ou, ainda, encobrir interesses inconfessáveis.

Identificar as intenções por trás do que dizem as pessoas da família e os amigos mais próximos do doente, nessas circunstâncias, exige observação, experiência e atenção às contradições entre atitudes, ações, palavras e olhares.

Coisa de mulher

As mulheres sofrem mais porque a sociedade e os médicos tendem a desconsiderar a intensidade das dores e dos incômodos associados às afecções ginecológicas. Cólicas no período menstrual, por exemplo, estão presentes na vida feminina desde a menarca. Em geral são suportáveis, mas em alguns casos surgem já no período pré-menstrual, tão intensas que impedem as atividades diárias. São causas frequentes de atendimento nos prontos-socorros.

Dores tão fortes assim muitas vezes são provocadas pela endometriose, que segundo a Organização Mundial da Saúde acomete 10% das mulheres desde a primeira menstruação até a menopausa, com incidência mais alta entre os 25 e os quarenta anos.

As causas são complexas. Uma das teorias mais aceitas é a da menstruação retrógrada, condição em que células do revestimento interno da cavidade uterina, o endométrio, migrariam no sentido contrário ao da menstruação, isto é, seguiriam pelas tubas para cair na cavidade pélvica e abdominal, onde se agrupam e se aninham nas paredes da região pélvica, na superfície externa dos ovários e das alças intestinais. Mas diversos estudos propõem outras causas.

Como se trata de células endometriais que crescem fora do útero, elas respondem aos estímulos hormonais da mesma forma, portanto também sangram no período menstrual, fenômeno que dá origem a processos inflamatórios, aderências e fibrose.

Esse quadro explica as dores fortes no período perimenstrual, as dores durante as relações sexuais e o cortejo de sintomas associados a elas: alterações intestinais e urinárias, sangramento intenso, dor ao evacuar, fadiga, depressão, ansiedade e infertilidade.

O diagnóstico é feito pelo ultrassom ginecológico, que deve ser realizado depois de um preparo intestinal, para que a presença de fezes no reto não atrapalhe a visualização detalhada dos órgãos pélvicos. Diagnosticada, a endometriose poderá ser tratada por cirurgia laparoscópica para a retirada das lesões, associada ou não a tratamento hormonal.

O problema é que essa abordagem fica sujeita a duas dificuldades práticas. A primeira é que as ultrassonografias de rotina são realizadas sem o preparo adequado e, muitas vezes, sem a atenção necessária do observador. A segunda é a indisponibilidade da laparoscopia e de ginecologistas experientes para executá-la tanto no SUS quanto na saúde suplementar.

Quando o resultado do ultrassom é normal, esses quadros ficam sem solução. O médico diz que não há justificativa para dores daquela intensidade, familiares e amigos incomodados pelas queixas acham que elas podem ser exageradas, o parceiro desconfia que a dor nas relações é desculpa para afastá-lo. A mulher fica perdida. Não são raras as que procuram atendimento psiquiátrico.

Já imaginaram se homens tivessem dores pélvicas fortes acompanhadas de sangramento abundante e demais sintomas semelhantes aos das mulheres com endometriose? Os médicos ousariam dizer que não se preocupassem, que aquilo era "coisa de homem"?

A menopausa é outro exemplo da falta de atenção da sociedade e das ciências médicas com os problemas de saúde que afetam apenas mulheres. A chegada da menopausa é a fase das ondas de calor alternadas com arrepios de frio, diminuição da libido, ressecamento e flacidez da pele, queda de cabelo, astenia, secura vaginal, perda de massa óssea, irritação, instabilidade emocional, distúrbios de sono, depressão e ansiedade.

Embora a maioria experimente esse conjunto de sintomas, para algumas mulheres eles são pouco intensos, não chegam a interferir na rotina diária. Em compensação, há casos em que são devastadores.

As ondas de calor são um suplício à parte. Em geral acompanhadas de vermelhidão no rosto e sudorese intensa, molham a roupa em momentos inadequados, criando constrangimento social. Seguidas de crises de um frio de bater os dentes, são amigas da noite e inimigas do sono reparador. Há mulheres despertadas por ondas de calor cinco, seis vezes durante a madrugada, ocasiões em que irritam quem divide a cama com elas.

Com intensidade variável, esses sintomas vasomotores afligem 80% das mulheres.

Por incrível que pareça, a duração desse fenômeno tão prevalente era pouco conhecida porque os estudos envolviam um número pequeno de participantes, acompanhados por períodos curtos. O primeiro estudo que observou um número significativo de participantes foi publicado apenas em 2005, na revista oficial da American Medical Association.

O Study of Women's Health Across the Nation (SWAN) acompanhou 1499 mulheres na perimenopausa entre fevereiro de 1996 e abril de 2003. As participantes foram recrutadas em sete centros dos Estados Unidos, entre mulheres que haviam apresentado pelo menos seis episódios vasomotores nas duas semanas anteriores e que nunca tinham feito reposição hormonal. Em apenas 20% delas os calores só começaram depois que as menstruações pararam; em 66%, eles tiveram início no período em que as menstruações se tornaram irregulares; e em 13% surgiram ainda na vigência dos ciclos regulares.

Para minha surpresa, os resultados dessa pesquisa multiétnica e multirracial mostraram que esse período da condição feminina pode ser mais longo do que eu imaginava.

A mediana de duração das ondas de calor foi de 7,4 anos. Quer dizer, em metade das mulheres não atingiu esse tempo; na outra metade, foi maior. Nos casos mais extremos, os calores persistiram por catorze anos.

Outro achado original e inesperado: quanto mais cedo as ondas chegam, mais tempo levam para ir embora. Naquelas em que os primeiros calores surgiram na pré-menopausa ou na fase em que os ciclos estavam irregulares (perimenopausa), a duração média ultrapassou 11,8 anos. Já nas que não menstruavam mais quando os calores se instalaram, a duração deles foi bem menor: 3,4 anos.

A explicação mais provável está nas diferenças de sensibilidade dos centros de regulação térmica (situados no hipotálamo) à redução dos níveis de hormônios sexuais na circulação. Mulheres com sensibilidade exaltada apresentam sintomas mais precoces e por mais tempo.

As participantes em que os sintomas foram mais persistentes tenderam a ter menos anos de escolaridade, maior percepção do estresse e a ser mais depressivas e ansiosas.

Não está claro se a instabilidade emocional e o estresse são causas ou consequências das ondas de calor. Mulheres com vida mais estressante teriam percepção exaltada dos sintomas e sentiriam mais incômodo. Por outro lado, acordar diversas vezes à noite é causa importante de estresse.

A mesma ambiguidade entre causa e efeito cabe à relação com depressão e ansiedade: nas deprimidas e ansiosas, os sintomas persistem por mais tempo ou são causadores de depressão e ansiedade?

O estudo SWAN tem sido muito elogiado no ambiente científico, e com razão. É a pesquisa mais completa sobre a duração dos fenômenos vasomotores que afligem milhões de mulheres.

O que me causa espanto é que só em 2015 ficamos sabendo que eles duram em média mais de sete anos e que essa média chega a mais de onze anos nas mulheres que começaram a senti-los enquanto ainda menstruavam com regularidade.

Nos casos extremos estudados, a duração chegou a catorze anos. No entanto, como o acompanhamento se restringiu a um período limitado, em algumas mulheres os calores podem ter persistido por ainda mais tempo. Na clínica, vi senhoras de setenta anos ou mais ainda reclamarem da visita deles, passageira, ocasional.

Um desconhecimento enciclopédico tão longo desse aspecto da fisiologia humana só tem uma explicação: ser considerado "coisa de mulher".

A dor alheia

A dor é um flagelo que desafia os médicos desde os primórdios da humanidade. Ela tem o poder de deixar ansiosos até os que estão próximos daquele que a sente. Na crise, a chegada do médico acalma e traz esperança para o doente e os circunstantes, expectativas que nos causam tensão, porque não há como ter certeza de que seremos capazes de controlá-la.

Drogas analgésicas ou anti-inflamatórias injetadas diretamente na veia costumam provocar respostas rápidas, às vezes heroicas. Quando administradas por via oral, no entanto, a espera do efeito farmacológico pode ser angustiante. Imagino quanto sofreram os pacientes e os médicos do passado, que não dispunham de analgésicos eficazes para aliviar as dores dos quadros agudos ou crônicos e as dos ferimentos em tempos de paz ou no decorrer das guerras.

Suicídios são eventos raríssimos na oncologia. Em cinquenta anos, tive três casos, entre os quais o de um fazendeiro, com mais de sessenta anos, que veio do Sul para ouvir uma segunda opinião. Tivera câncer na boca nos anos 1960, tratado com ressecção de parte da língua e esvaziamento cervical radical bilateral, cirurgia que compreende a retirada do maior número possível de linfonodos (gânglios) dos dois lados do pescoço. Naquela época, depois da operação aplicava-se radioterapia em doses altas.

Contra a opinião dos médicos do Sul, ele estava certo de que a doença tinha voltado, única justificativa para as dores contínuas que sentia na região. Ao examiná-lo, não encontrei sinais de recidiva do tumor, mas a fibrose provocada pela radioterapia havia estreitado o pescoço de tal forma que ficava difícil explicar como a cabeça ainda se equilibrava ali. Soube mais tarde que esse senhor se trancara no quarto e dera um tiro no coração. No bilhete que deixou, pedia desculpas à família por não suportar o que chamou de "suplício inclemente".

Em comparação com os avanços científicos ocorridos em outras áreas da medicina, o tratamento da dor ficou para trás. Foram poucos os medicamentos desenvolvidos nas últimas décadas.

O ópio talvez seja o analgésico mais antigo. Ideogramas esculpidos em pedra comprovam sua existência entre os sumérios, povos que se estabeleceram na Mesopotâmia em 5000 a.C. Papiros escritos aproximadamente em 1600 a.C. mostram que os egípcios já conheciam suas propriedades analgésicas.

Hipócrates (460-375 a.C.) prescrevia extratos obtidos por meio de pequenos cortes na cápsula junto às flores da papoula. Galeno (129-200 d.C.), o médico mais célebre do Império Romano, descreveu uma preparação que continha ópio em mistura com diversos extratos de plantas, panaceia que, modificada, chegou ao século XVIII.

Em 1806, o farmacêutico alemão Friedrich Sertürner descobriu um derivado do ópio que ainda hoje é considerado um dos analgésicos mais potentes: a morfina. Cerca de cinquenta anos depois, o aparecimento da agulha hipodérmica, oca, encaixada na extremidade de uma seringa, criaria a possibilidade das injeções intradérmicas e intravenosas que ganharam popularidade durante a Guerra Civil Americana, a Guerra da Crimeia e a guerra de 1870 entre França e Alemanha.

Em 1862, Edwin Smith, um americano colecionador de antiguidades, encontrou no Egito uma banca que vendia papiros num mercado de rua em Luxor. Um desses manuscritos o interessou. Ele descrevia em 110 páginas as práticas médicas do tempo dos faraós, e Smith o adquiriu por 12,2 libras esterlinas.

Esse livro-texto, escrito em 1534 a.C., é considerado o documento mais completo da medicina egípcia. Descreve diversas condições médicas e cerca de setecentas preparações de ervas medicinais, entre elas um tônico obtido da casca de uma árvore que crescia na maior parte do mundo pré-histórico: salix, ou tjeret, conhecida entre nós como salgueiro.

O tônico da salix era uma panaceia receitada para aliviar dores no corpo, mas especialmente nas juntas. A partir dos anos 200 d.C., por meio do comércio e das expedições militares, seu uso se espalhou pelo mundo.

Em extratos da casca do salgueiro, pesquisadores alemães, franceses e italianos conseguiram refinar cristais amarelos dotados de atividade farmacológica e aprimorar o processo de extração, de tal forma que aproximadamente em 1850 se tornou popular o uso de medicações com o nome salicilina (ácido salicílico e salicilato de sódio) para o tratamento de dores, febre e inflamações.

Como a irritação gástrica causada por essas preparações impuras limitava seu uso, o desafio passou a ser sintetizar quimicamente um derivado que não fosse tão tóxico para o estômago humano.

Até então, as descobertas nesse campo eram realizadas em laboratórios pequenos, uma vez que a colaboração entre ciência, medicina e companhias farmacêuticas só surgiria tempos depois, com a fundação da Bayer Company pelo alemão Friedrich Bayer.

Em 1894, Felix Hoffman, um jovem químico que se juntou à

Bayer com a tarefa de modificar a estrutura do ácido salicílico, conseguiu sintetizar o ácido acetilsalicílico, finalmente registrado com o nome de aspirina em fevereiro de 1899. Cinco anos depois, a aspirina já estava disponível na forma de comprimidos. Ali nascia a indústria farmacêutica.

Apesar dos avanços dos últimos anos, ainda temos muita dificuldade para controlar quadros de dor, principalmente nos casos crônicos. Os analgésicos e anti-inflamatórios empregados na rotina conseguem controlar dores agudas, mas encontram dificuldade nas crônicas. Dores fortes e contínuas costumam responder apenas parcialmente a eles. Elas diminuem de intensidade, mas persistem.

Em muitas situações, só desaparecem quando administramos analgésicos mais potentes. O preço a pagar às vezes é alto, por causa dos efeitos colaterais: náuseas, prisão de ventre, diarreia, vômitos, sonolência, tontura, perda de apetite, alteração do paladar e dependência química, entre outros. Os que foram desenvolvidos nos últimos anos são vendidos a preços proibitivos para a maioria da população e, quando comparados com a morfina, as vantagens são pequenas. Incrível pensar que, duzentos anos depois da descoberta dessa droga, tenhamos avançado tão pouco.

Culturalmente, resistir à dor é um dos valores do cristianismo e de outras religiões. Quantas mulheres e homens foram elevados à santidade por terem resistido à tortura sem renegar sua fé? Jesus Cristo não teria sofrido as piores dores na cruz para nos salvar? A história das religiões está repleta de fiéis que praticavam a autoflagelação. O conceito de que o sofrimento purifica não é de hoje.

A Inglaterra vitoriana punia mulheres que gritavam de dor na hora do parto; crianças pequenas eram submetidas a procedimentos cirúrgicos sem anestesia porque os médicos acreditavam que as terminações nervosas ainda não haviam amadurecido o suficiente para conduzir o estímulo doloroso; até hoje judeus e muçulmanos realizam circuncisões sem anestesia local.

Nos plantões do pronto-socorro de ginecologia, ficavam a cargo do sextanista as curetagens para a retirada das membranas fetais retidas no interior do útero e causadoras de hemorragia persistente, complicação comum em abortamentos clandestinos. Sem dinheiro para ir a um médico particular, a mulher pobre não tinha alternativa senão recorrer às "curiosas" da periferia, que introduziam agulhas de crochê através do colo uterino, para romper a bolsa fetal. Com a perda do líquido amniótico, as bactérias da vagina infectavam o embrião, expulso pelo sangramento. Infelizmente, em muitos casos restos de membranas permaneciam no útero, terreno fértil para septicemias fatais se não providenciássemos sua remoção.

As que procuravam o pronto-socorro do Hospital das Clínicas eram, em sua maioria, jovens solteiras, mas também havia mulheres casadas, mãe de mais filhos do que conseguiam sustentar. A curetagem era realizada numa salinha apertada, na qual havia uma mesa para colocar a paciente em posição ginecológica, uma mesinha auxiliar para o material cirúrgico, a cortina para garantir privacidade e um banheiro minúsculo.

A intervenção consistia em prender e tracionar o útero com uma pinça comprida em cuja extremidade havia duas garras pontiagudas, que ao fechar perfuravam e seguravam o colo. Em seguida, com cilindros metálicos, dilatávamos o orifício do colo para dar passagem à cureta, uma espécie de colher de bordos afiados e cabo longo. Com ela, em movimentos de vaivém, raspávamos a musculatura uterina até o sangramento vir sem nenhum resíduo.

Os chefes de plantão que nos treinavam garantiam que as pacientes só sentiam dor na hora do pinçamento e da dilatação do colo, no entanto havia gemidos, mãos geladas, rosto pálido, suor na testa da paciente durante o procedimento. As que gemiam mais alto eram consideradas "fiteiras".

Inconformado com a tortura a que submetíamos aquelas mulheres pobres, um colega e eu fomos até o diretor do pronto-socorro reclamar a presença de um anestesista para sedá-las durante a curetagem. Com um cigarro no canto da boca, ele respondeu: "Vocês estão loucos? Já vivemos sem vagas; se anestesiarmos, isto aqui vai ficar cheio de mulheres que abortaram".

De nada adiantou perguntarmos se ele achava mesmo que as mulheres iriam engravidar e provocar abortamentos em condições inseguras só para fazer curetagem com anestesia no Hospital das Clínicas.

A condescendência com a dor alheia chegou ao século XXI. Muitos procedimentos médicos dolorosos são realizados sem anestesia. A justificativa de que o desconforto é suportável e evita permanência mais prolongada no hospital ou no laboratório de análises para a recuperação anestésica serve de desculpa para economizar custos com a contratação de anestesistas.

Até os anos 1980 os exames endoscópicos eram feitos sem sedação. Endoscópios muito mais rígidos do que os atuais eram introduzidos pela garganta até chegar ao duodeno, com o doente acordado, lágrimas nos olhos, sufocado pela sensação de náusea e engasgo. Sofrimento semelhante ao dos que precisavam fazer colonoscopia. O aparelho introduzido pelo ânus subia pelo cólon ascendente, percorria o transverso até chegar ao final do cólon descendente, do outro lado do abdômen, à direita.

No passado, só diagnosticávamos o câncer de próstata quando surgiam sintomas urinários, fase em que na maioria das vezes a doença já está avançada. Descoberto nos anos 1980, o PSA entrou na rotina dos exames de sangue na década seguinte. Elevações do PSA seguidas de biópsia permitiram fazer diagnósticos de tumores pequenos, em fase inicial de desenvolvimento.

A biópsia é feita por meio de uma agulha introduzida por via retal. Para aumentar a chance de obter um material representativo, ela deve colher mais de doze fragmentos, retirados de todas as partes da glândula.

Ainda hoje há quem faça esse procedimento sem sedação. Os pacientes nunca mais esquecem da dor sentida em cada entrada e saída da agulha. Quando um amigo, carcereiro aposentado do Carandiru, contou que o urologista do convênio havia agendado uma biópsia de próstata para a manhã seguinte, recomendei que não aceitasse fazê-la sem sedação. Insisti que não deixassem convencê-lo de que a dor seria suportável.

Homem simples, forte como um touro, ficou tímido para exigir esse cuidado quando soube que o plano de saúde não autorizava anestesia nesse procedimento. Quando liguei para ele à tarde, contou que nunca tinha sentido dor tão forte e que precisou ficar quarenta minutos sentado junto a um poste na calçada do hospital, até conseguir juntar forças para voltar para casa.

Nós, médicos, temos muita responsabilidade nesses casos. Ao aceitarmos as regras impostas pelos planos de saúde e pelos gestores dos hospitais públicos, tornamo-nos cúmplices deles. Nunca é demais lembrar que a nossa profissão existe para aliviar as dores humanas, não para agravá-las.

A convivência com a morte

A morte é o pano de fundo da oncologia. É onipresente para os pacientes que chegam à fase final de evolução e também para aqueles em que a doença, por antecipação, adquire características de incurabilidade antes mesmo de surgirem sintomas ou manifestações clínicas.

A formação médica, contudo, não nos prepara para passar a vida nesse cenário. Na faculdade, toda ênfase é dada à fisiopatologia, ao diagnóstico e ao tratamento das diversas enfermidades. Somos treinados para curar, não para lidar com os que vão morrer. Essa visão distorcida dos objetivos da profissão é transmitida de uma geração para outra por professores que não podem ensinar o que não aprenderam.

Ainda quando inevitável, a morte de alguém sob nossos cuidados é sentida por nós como um fracasso pessoal. Ela nos coloca diante dos limites dos conhecimentos que nos orgulhamos de ter, portanto afronta nossa onipotência, desconstrói nossa autoimagem e nos reduz à condição do que realmente somos: seres frágeis muitas vezes incapazes de alterar a ordem natural da vida.

Na cadeia, como lidar com a angústia ao lado de uma maca sobre a qual jaz um corpo jovem banhado em sangue, com dezenas de perfurações, sem dispor de outro recurso senão o de gotejar soro na veia? Não fomos treinados para aguardar passivamente o coração parar de bater.

A consequência mais nefasta desse entendimento é o impulso de nos afastarmos dos doentes que evoluem mal. O desalento diante das queixas, aflições, ansiedades e inseguranças que eles e os familiares nos transmitem causa um tipo de estresse que nem sempre estamos em condições psicológicas de suportar.

Observador atento das nossas reações, o paciente em estado grave percebe o incômodo que seus problemas nos trazem e se frustra com o distanciamento e as respostas vagas que lhe damos. Interpreta essas reações como desinteresse por ele, perde a confiança e acha que foi abandonado quando mais necessitava.

Por outro lado, a convivência com a proximidade da morte e dos dramas familiares da pessoa doente molda nossa forma de entender a vida.

As decisões que somos obrigados a tomar, as inseguranças que as cercam, as dúvidas e as reações de cada paciente que se aproxima do fim e as das pessoas próximas a eles são experiências difíceis de compartilhar. Claro que podemos dividi-las com um colega de profissão, eventualmente até com um amigo íntimo ou alguém da família, mas ficamos restritos aos limites do que pode ser compreendido por quem vive em universos distantes.

Lidar com as tristezas e as frustrações inerentes à prática da oncologia sem nos tornar amargos, pessimistas e desencantados com a existência é um desafio permanente. Não é fácil sair do hospital depois de sedar uma pessoa de quem você cuidou durante anos sem demonstrar enfado ao ouvir a descrição do cardápio de um restaurante recém-inaugurado feita pelo casal que convidou você e sua mulher para jantar. Não é fácil ouvir com ar de interesse os comentários apaixonados sobre o gol que o centroavante do Corinthians desperdiçou no jogo do último domingo.

A necessidade de poupar os amigos e, principalmente, os familiares dos momentos de desconsolo que se repetem na nossa prática médica nos leva a viver em realidades paralelas nem sempre conciliáveis. De um lado, a vida e a morte, a contradição filosófica suprema da humanidade; de outro, o convívio com os acontecimentos fúteis do dia a dia e o empenho de manter o interesse por eles e pelas pessoas que os relatam.

Tratei de uma moça de 28 anos com uma mutação genética que potencializa o risco de câncer de mama. Havia cinco ou seis casos na família, inclusive o da mãe, o de uma das avós e até o de um tio materno, apesar da raridade do câncer de mama em homens.

Era um tumor agressivo: entre ela palpar o nódulo no seio durante o banho e notar que apareceram outros na área já operada passaram-se oito meses, apesar da radicalidade da mastectomia e da quimioterapia adjuvante iniciada em seguida.

A doença respondeu mal aos diversos quimioterápicos empregados. A irmã mais velha, de trinta anos, acompanhou de perto o sofrimento dela. Trazia a mais nova para as consultas, ficava ao lado dela enquanto duravam as sessões de quimioterapia e se mudava para o hospital toda vez que a irmã era internada. Se, porventura, saía de perto por algumas horas, era para ver o filho pequeno, sob os cuidados do marido e de uma tia, em casa.

Na última internação, não arredou pé do quarto da irmã por três semanas. Ajudava-a a se alimentar, a tomar banho, a mudar de posição no leito e a amparava no caminho até o banheiro. Quando conversava com os médicos ou com as enfermeiras no corredor, seus olhos árabes refletiam uma melancolia tão desvalida que nos comovia. Assim que voltava para perto da irmã, porém, seus olhos voltavam a brilhar, resplandecentes. Custava acreditar que pertenciam à mesma pessoa.

Quando entrei no quarto para atestar o óbito, a mais velha estava no sofá, imóvel, pálida, com o olhar perdido como os de uma estátua de cera. Auscultei o coração da doente e procurei o pulso para constatar o óbvio. Depois me aproximei do sofá e disse que sentia muito. Ela se levantou e me abraçou em silêncio. Quando ergueu a cabeça, o ombro da minha camisa estava molhado.

Três anos depois, era ela que estava internada na fase terminal da mesma doença, no mesmo hospital. Na última vez que a vi, o marido e o filho de quatro anos estavam ao lado do leito. Ela segurava a mão do menino, sentado no colo do pai.

No carro, de volta para casa, tive uma crise de choro incontrolável como a das crianças.

Encontrei minha mulher na frente do espelho. Tínhamos combinado de ir à estreia de um espetáculo no Theatro Municipal.

A ciência e a arte

O que tem levado tantas mulheres e homens a se dedicar à tarefa de aliviar o sofrimento humano, desde a mais remota Antiguidade?

As razões são inúmeras. Vão do desejo de prestígio social e dos benefícios financeiros conferidos pela profissão às recompensas intelectuais e espirituais que o alívio das dores alheias traz aos que se dedicam a combatê-las.

A medicina não é uma ciência pura como a física ou a química, é uma ciência aplicada. Os médicos estudam para entender o funcionamento do organismo, os desequilíbrios provocados pela doença e as formas de intervir para corrigi-los. Por mais avançados que sejam, os dados científicos dizem respeito e estão limitados às idiossincrasias do corpo humano, e as decisões e as medidas necessárias para implementá-los em benefício de alguém doente envolvem o que entendemos por arte da medicina.

Tivemos um residente de cirurgia no Hospital do Câncer que dormiu no meio de uma reunião clínica. Ao acordar pediu desculpas, tinha passado a noite em claro no plantão de um pronto-

-socorro da periferia da zona leste de São Paulo. Explicou que gostava muito daquele trabalho por causa do grande número de cirurgias decorrentes dos tiros e das facadas frequentes naquele lado da cidade.

Era apaixonado pela cirurgia, mas não tinha paciência para responder a indagações e suportar a pressão das angústias dos doentes, menos ainda as dos familiares. Contou que, num mundo ideal, passaria os dias sem sair do centro cirúrgico, operando pacientes anônimos previamente anestesiados, um atrás do outro, sem trocar palavra.

Se porventura essa situação hipotética se concretizasse, poderíamos considerá-lo médico? Que diferença haveria entre ele e um cirurgião veterinário?

O que consideramos ciência aplicada nada mais é do que o emprego dos conhecimentos científicos na resolução de determinado problema prático. A lei da gravitação universal é levada em conta nos cálculos do engenheiro para manter a ponte em pé; o movimento de rotação da Terra é importante para estimar o horário de chegada dos voos internacionais de longa duração. No caso da medicina, a atividade não pode se limitar à aplicação dos dados científicos, porque sofre a interferência de fatores que envolvem uma conjunção de empatia, compaixão, atenção às dificuldades e limitações do outro, interesse por seus valores morais, culturais e filosóficos, estilo de vida e a avaliação das interferências familiares e sociais trazidas pela doença.

Esse domínio é o da arte da medicina, área complexa que se mantém desde sempre apoiada em valores humanos, intuições, senso comum, confiança mútua e na conduta ética. Acalmar espíritos atormentados pela ansiedade, insegurança, angústia e pelo medo, inerentes ao adoecimento, depende da elaboração de concepções abstratas tão importantes quanto a adoção de medidas concretas, como a prescrição de medicamentos ou a intervenção cirúrgica.

Apartada dos valores humanísticos, a adoção dos conhecimentos técnicos mais avançados se torna capenga, eventualmente deletéria.

Veja o caso com que lidei muitas vezes: o medo que a quimioterapia provoca nas pessoas com câncer. A antevisão das náuseas, vômitos, mudanças na aparência física e mal-estares deixa muita gente apavorada com a indicação do tratamento, às vezes necessário para aumentar a sobrevida ou as chances de cura. Muitos guardam imagens de familiares e amigos com a doença avançada, em que os efeitos colaterais dos medicamentos transformaram em martírio seus últimos dias.

Essas complicações ocorrem porque os quimioterápicos são testados na fase pré-clínica em suas doses máximas toleráveis, justamente aquelas com maior probabilidade de reduzir as dimensões das massas tumorais metastáticas, critério exigido pelas agências reguladoras (FDA, Agência Europeia, Anvisa...) para aprovar o uso comercial.

Em uma pessoa que acabou de ser operada de um tumor agressivo com risco alto de recidivar nos anos seguintes, faz sentido empregar esquemas quimioterápicos agressivos, apesar das reações indesejáveis, uma vez que está em jogo a cura definitiva ou o retorno da doença.

A mesma lógica, todavia, não vale para os casos incuráveis. Tentar reduzir as massas tumorais para retardar a velocidade de disseminação e, ao mesmo tempo, evitar efeitos colaterais incapacitantes é um desafio que exige experiência clínica, escolha de drogas e ajustes de doses: as baixas podem falhar para conter a progressão, as altas podem provocar complicações que comprometem a qualidade de vida de quem já não vinha bem.

Atendi uma senhora de quase oitenta anos com diabetes, obesidade, hipertensão e metástases hepáticas de um câncer de cólon operado três anos antes. Entrou de cadeira de rodas no consultório, acompanhada pela filha.

A história era que, havia um mês, ela tinha recebido um ciclo com um quimioterápico administrado por via oral que provocara diarreia grave, desidratação e septicemia, quadro só controlado depois de uma semana de internação na UTI. Saíra do hospital com descamação e rachaduras na palma das mãos e na planta dos pés tão doloridas que não conseguia apoiá-los no chão nem segurar uma xícara.

O relatório médico mostrava que do ponto de vista teórico a conduta fora irrepreensível: o quimioterápico empregado fazia parte dos esquemas de primeira linha para aquele tipo de tumor e as doses atendiam às recomendações dos estudos internacionais. O resultado da intervenção, entretanto, fora um desastre: levara para a UTI e para a cadeira de rodas, por dois meses, uma senhora anteriormente assintomática, apesar das lesões no fígado.

O médico canadense William Osler, um dos pais da medicina moderna, autor do tratado de clínica médica mais importante de sua época, publicado em 1892, e um dos fundadores da Universidade Johns Hopkins, onde criou a modalidade do ensino à beira do leito dos pacientes, escreveu: "Não fosse pela grande variabilidade entre os indivíduos, a medicina seria apenas uma ciência e não uma arte, ao mesmo tempo".

Ouvi numa entrevista na TV um cirurgião plástico dizer que a cirurgia plástica era uma especialidade para artistas. É um equívoco. O objetivo da cirurgia cosmética não é criar arte, como Canova fez com o mármore ou Brancusi com o bronze, porque o corpo humano não é matéria-prima a ser moldada para atender às demandas do mercado e à visão estética imposta por ele. A arte da medicina é abstrata, não obedece aos critérios daquela exibida nas obras-primas da pintura e das artes plásticas. Talvez exista proximidade maior com a literatura.

Numa aula, o neurologista Daniele Riva, depois de descrever as principais teorias psiquiátricas a respeito do ciúme doentio, disse que os estudantes interessados em conhecer esse transtorno obsessivo em maior profundidade deviam ler *Anna Kariênina*, de Tolstói.

Da mesma forma, em *A morte de Ivan Ilitch* foi desnudada a relação dos médicos com um paciente incurável, num nível de complexidade que jamais será encontrado nos livros de medicina. Em que texto didático a interferência da dúvida no relacionamento afetivo será apresentada como em *Dom Casmurro*, de Machado de Assis? Quem pretende estudar os efeitos disruptivos das paixões humanas vai encontrar mais densidade nas obras-primas da literatura ou nos tratados de psiquiatria?

A arte da medicina é praticada desde os tempos das cavernas, enquanto a ciência é um alvo móvel pronto a ser contestado por experimentos, teorias e interpretações novas. Avaliar o modelo teórico de uma patologia para adaptá-lo àquele ser humano naquelas circunstâncias únicas exige formação científica, vivência clínica e interesse pela condição humana.

Como disse Hipócrates: "A vida é curta, a arte é longa, a oportunidade fugaz, a experiência enganosa, o julgamento difícil".

O envelhecimento do médico

Eu tinha dezoito anos quando entrei na faculdade e 79 ao terminar estas reflexões. Tive a pretensão de dar uma ideia do que vivi, do que aconteceu com a medicina e com o país nesses sessenta anos que dediquei à profissão.

Contei com o privilégio de uma genética que me permitiu chegar vivo até aqui e com alguma sabedoria para procurar caminhos novos e tentar não repetir certos erros do passado.

Continuo em atividade plena: atendo doentes nas cadeias, gravo participações no *Fantástico*, da Rede Globo, coordeno o projeto de pesquisas no rio Negro, escrevo colunas no jornal *Folha de S.Paulo* e na revista *CartaCapital*, participo de lives, faço palestras, produzo material educativo para meu portal de saúde, para o canal do YouTube e as redes sociais que atingem milhões de pessoas no Brasil e algumas dezenas de milhares no exterior.

Até este momento, nenhuma limitação física se interpôs entre mim e o que desejei fazer. Saio para gravar com equipes formadas por gente com a metade da idade que tenho, sem pedir que diminuam o ritmo nem que interrompam o trabalho por estar cansado.

Pego os mesmos aviões, faço as mesmas viagens de carro pelos interiores, subo morros e escadas como eles.

Atribuo essa disposição a duas decisões que me transformaram: ter parado de fumar aos 36 anos e começado a correr maratonas aos cinquenta. Tivesse continuado a fumar, já teria morrido ou, talvez pior, sobrevivido em condições precárias; fosse sedentário, não chegaria perto dos oitenta anos sem nenhuma doença crônica e sem tomar medicamentos.

Em meus anos de faculdade, não fui o aluno aplicado que gostaria de ter sido. As aulas que ministrava no cursinho me tomavam as noites e os fins de semana. Precisei de muito esforço para recuperar o tempo e completar a formação necessária para me tornar um profissional razoavelmente competente. A prática da medicina é um exercício perene de aprendizado e de confronto diário com a nossa ignorância.

As ciências médicas evoluem como um alvo em movimento que obriga o atirador a persegui-lo a vida inteira na vã esperança de um dia atingi-lo.

Uma vez, eu voltava de um congresso sobre câncer de mama em San Antonio, no Texas, evento que reúne os melhores especialistas para discutir os avanços ocorridos no ano. Na segunda-feira, enquanto esperava a mala aparecer na esteira do aeroporto, recebi o telefonema de uma paciente que perguntava se ela era elegível para o novo tipo de tratamento hormonal proposto no estudo americano publicado na *Folha de S.Paulo* da véspera. O estudo tinha sido divulgado naquele fim de semana, e, embora os dados não tivessem sido discutidos no congresso, ele de fato alterava o tratamento de casos como o dela.

Medicina é profissão para quem gosta de estudar. Quando falo com estudantes, insisto que ela exige tanta dedicação, esforços e renúncias que só deve exercê-la quem tem curiosidade pelo funcionamento do corpo humano, disposição para passar os dias entre pessoas doentes e fascínio pela arte de praticá-la. Sem esses interesses, é melhor escolher outras atividades em que, provavelmente, trabalharão menos e ganharão mais.

Saí da faculdade cheio de certezas. Acertar os primeiros diagnósticos, perceber que era capaz de aplicar os conhecimentos teóricos para curar os primeiros pacientes, ouvir palavras de gratidão, elogios dos colegas mais velhos e ver que conseguia melhorar a vida ou impedir a morte de alguém em perigo provocavam em mim certo estado de euforia. Não são acontecimentos triviais. O impacto deles no espírito do jovem vem de fato associado ao risco de despertar vaidades desmedidas, orgulho e prepotência, defeitos que eu criticava em professores da faculdade e em médicos mais velhos.

Esperava ter equilíbrio psicológico e sensibilidade para entender que a medicina deve ser um eterno exercício de humildade intelectual. Nela não existem certezas, lidamos com probabilidades, estatísticas, reações estranhas, idiossincrasias e respostas inesperadas. Tinha medo de que o desgaste da atividade diária em condições desfavoráveis me tornasse desinteressado e cínico. Empatia é planta sensível, precisa ser regada todas as manhãs.

De um lado, o envelhecimento traz a experiência de muitos casos vistos; de outro, o reconhecimento de dificuldades que não considerávamos na juventude. Não há uma fase em que nos consideramos suficientemente seguros, certos de que não erraremos. Já vimos tantas complicações, desencontros, complexidades, que é impossível deixar de pensar neles a cada decisão. O senso de responsabilidade com os que estão sob meus cuidados só aumentou com o passar dos anos. O medo de errar também. Quando digo errar, não me refiro apenas aos diagnósticos ou à terapêutica equivocada, mas às más escolhas que frustram as expectativas e os anseios daquela pessoa.

É claro que outros profissionais também trabalham sob o jugo da responsabilidade: o comandante ao pilotar a aeronave, o caminhoneiro nas estradas, o engenheiro que calcula quantas toneladas de ferro sustentarão a ponte, mas no médico as incertezas e a diversidade humana não são passíveis de previsão matemática, estão presentes em todas as decisões, porque podem desencadear quadros graves ou mesmo fatais em pessoas que entregaram a vida em nossas mãos.

Os grandes desafios na medicina são de ordem humana. Como reagirá aquela pessoa diante da adversidade? Quais palavras empregaremos para explicar que a doença é incurável? Como contar que chegamos ao fim do percurso? Quem nunca enfrentou uma situação dessas não faz ideia da dificuldade, razão pela qual muitas vezes fugimos desse diálogo.

Demorei anos para aceitar que o momento mais duro da oncologia não é o da morte, mas aquele em que você vê pela primeira vez a imagem radiológica de uma metástase ou palpa um nódulo que documenta a incurabilidade de uma pessoa que se considerava curada. É um instante dramático, em que é preciso voltar os olhos na direção dela e dizer alguma coisa. Mas o quê? Com quais palavras? Com que entonação? Nessa hora, o médico não tem com quem se aconselhar nem com quem dividir essas inquietações; está sozinho.

Com a repetição dessas situações, fui ganhando desembaraço na escolha das palavras e no controle das emoções. Aprendi a ficar em silêncio quando os pacientes choram, válvula de escape para a dor, o desamparo e o medo que a consciência súbita da finitude desperta. Eles podem se revoltar, perder o controle, entrar em desespero. O médico não. Da tranquilidade dele depende a segurança do outro. As fantasias negativas que povoam o imaginário dos doentes nessa hora precisam ser contidas. A realidade impõe limites; a fantasia é pássaro que voa aos confins da imaginação.

Câncer é palavra que amedronta. Passei a vida repetindo "Não é assim", "Isso não vai acontecer", "Calma". Calma talvez tenha sido a palavra que mais empreguei. Transmitir tranquilidade para o outro enfrentar o medo que a doença provoca no espírito humano exige experiência para pensar no que dizer, porque as palavras utilizadas nessa hora não serão esquecidas.

Carlos Drummond escreveu em "Congresso internacional do medo":

Cantaremos o medo, que esteriliza os abraços,
não cantaremos o ódio porque esse não existe,
existe apenas o medo, nosso pai e nosso companheiro,
[...]
cantaremos o medo da morte e o medo de depois da morte,
depois morreremos de medo [...]

Quando olho para trás, acho que só atingi a maturidade profissional quando deixei de encarar a morte inevitável como a frustração suprema e passei a vê-la como o período em que a pessoa doente e seus familiares mais necessitam do médico sensível e preparado. Aplacar o medo, amenizar o sofrimento e conciliar os conflitos entre os familiares para que aceitem a realidade com resiliência é o trabalho que melhor traduz a razão de existir da medicina. Morrer em paz é o que desejamos ardentemente para nós e para aqueles que amamos.

Assim procurei agir com os pacientes, com os amigos que acompanhei até o final e com as pessoas da minha família. Tomei a decisão de sedar meu pai na unidade de terapia intensiva quando entendi que aos 82 anos os dias que lhe restavam seriam de sofrimento e alienação. Fiz o mesmo com meu irmão médico, de 45 anos, com câncer de pulmão avançado, depois de conversarmos sobre a dificuldade de controlar as dores que as metástases ósseas e as cerebrais lhe causavam.

Ligar um soro com analgésicos potentes na veia de meu pai

e de meu irmão, os homens que mais amei na vida, e me sentar à beira do leito deles até ouvir a última batida do coração foi a experiência mais carregada de significados que a prática da medicina me proporcionou.

Ter vivido muitos anos ajuda a compreender as perplexidades de quem se depara com o fim. Hoje percebo que me pareciam impenetráveis os desígnios de uma senhora de 85 anos, mãe, avó e bisavó, quando nem filhos eu tinha. Um homem consegue avaliar a extensão da tristeza da mãe de crianças pequenas que se depara com a possibilidade real de deixá-las? Que surpresa me causou um senhor de 93 anos ao dizer "Doutor, eu não posso morrer agora", quando minha idade era um terço da dele. Que desconhecimento eu tinha da natureza humana.

Envelhecer, ter visto muitos doentes não assegura competência. Médicos que param de estudar, desmotivados, cansados da vida que levam, amargurados, sem paciência com os doentes que maltratam, não são poucos, infelizmente.

No decorrer dos meus sessenta anos de profissão, casei com minha primeira mulher, com quem tive duas filhas que me enchem de felicidade. Aos 38 anos casei pela segunda vez, com Regina, a mulher com quem vivo até hoje, em rara harmonia. Cheguei a esta idade com duas filhas com quem falo todos os dias, três enteados e duas netas, Manoela, de dezessete anos, e Helena, de onze. Os enteados me deram cinco meninas e um menino.

Quando nasceu uma de minhas netas, escrevi:

Curiosa a experiência de ser avô, perceber que a espiral da vida dá uma volta completa; a primeira que independe de nossa participação. Sim, porque até o nascimento de um neto os acontecimentos biológicos de alguma forma dependeram de ações praticadas por nós: nossos filhos só existem porque os concebemos, os fatos que constituíram a história de nossa vida apenas ocorreram porque es-

távamos por perto; mesmo nossos pais, só se transformaram em figuras insubstituíveis porque nos deram à luz. Os netos, em oposição, vêm ao mundo como consequência de decisões alheias, nasceriam igualmente se já tivéssemos ido. A ideia de nos tornarmos biologicamente descartáveis é incômoda, porque nos confronta com a transitoriedade da existência: viemos do nada e ao pó retornaremos, como rezam os ensinamentos antigos.

Dois anos atrás, encerrei meus trabalhos no consultório depois de 45 anos de atividade clínica intensa e ininterrupta. Hesitei anos antes de tomar essa decisão, não conseguia me imaginar sem a correria com os doentes. Além do quê, não é fácil organizar a retirada de uma clínica com muito movimento.

O que me fez decidir foi o fato de que meu trabalho na área da educação em saúde se tornou cada vez mais instigante. Um dos primeiros oncologistas de São Paulo, vi a especialidade crescer e surgirem novas gerações de especialistas bem preparados, muitos dos quais treinados nos melhores centros internacionais. Na área clínica, minha ausência não faria diferença.

No campo da educação em saúde, ao contrário, não havia outro com o acesso aos meios de comunicação de massa que me foram colocados à disposição. A qual médico, na história da medicina brasileira, foi dada a oportunidade que eu tenho de falar sobre saúde no horário nobre da maior rede de televisão do país, além de acesso ao rádio, à imprensa escrita e à internet?

Na adolescência, eu ia a três festas no mesmo sábado e lamentava ter perdido a quarta. Com a idade nos tornamos mais seletivos. Sou capaz de não ir a nenhuma para ficar em casa escrevendo um texto ou em companhia de uma neta. À medida que nosso horizonte encurta, aumenta a necessidade de nos concentrarmos no essencial. Como disse um paciente do interior a respeito da transformação que o diagnóstico de câncer causara em sua vida: "Quando chega na beira do abismo, o cavalo fica esperto".

A atividade clínica agora está restrita ao atendimento na cadeia e às revistas científicas que não paro de ler. O trabalho na área da comunicação me ocupa o dia inteiro, é a atividade principal, o contrário do que sempre foi.

Apesar das inquietações intelectuais e da indignação com a desigualdade do país, sou um homem em paz.

Epílogo

A pandemia

Minha avó contava que a gripe espanhola atingiu nosso bairro com virulência: "Você não imagina, filho, quanta gente morreu aqui no Brás. As famílias velavam os mortos em casa. Antes de clarear o dia os homens deixavam os corpos na calçada, para serem levados pelas carroças".

Ela nunca esqueceu de como os corpos eram recolhidos: "Lembro como se fosse hoje. Um carroceiro pegava o cadáver pelos pés, o outro pelos braços, balançavam pra lá e pra cá e jogavam na carroça, em cima de outros corpos. Eram enterrados em vala comum, sem caixão nem nada".

Eu devia ter seis ou sete anos quando ouvi essa descrição da minha avó sobre a pandemia que assolou o mundo do início de 1918 ao fim de 1920. Na minha imaginação, essa imagem ficou ligada para sempre à gripe espanhola.

Quase vinte anos depois, no curso de medicina, pouco ouvi falar desse vírus que teria infectado 500 milhões de pessoas (cerca de metade da população mundial) e provocado um número incerto de mortes, estimado em 50 milhões, talvez um pouco menos ou muito mais, de acordo com as suposições feitas em uma época sem estatísticas confiáveis.

No século XXI, quando alguém aventava a hipótese de que uma virose respiratória pudesse causar uma nova pandemia, os especialistas admitiam haver, sim, essa possibilidade, porém concordavam que a mortalidade seria incomparavelmente mais baixa, numa era em que dispúnhamos de antibióticos para as complicações bacterianas, unidades de terapia intensiva (UTIs) e aparelhos de ventilação mecânica, recursos inexistentes em 1918.

A confiança na tecnologia moderna foi uma das razões pelas quais a maioria dos especialistas não se assustou quando os chineses descreveram o aparecimento de um novo coronavírus na cidade de Wuhan, em dezembro de 2019.

Sabíamos que essa família de vírus é causa frequente de doenças em animais e que, no homem, quatro tipos de coronavírus são responsáveis por cerca de 15% dos resfriados comuns. Dois outros, entretanto, tinham provocado epidemias de uma síndrome respiratória aguda grave, que evoluía com comprometimento da função pulmonar e mortalidade elevada: a Sars e a Mers.

O primeiro caso de infecção pelo vírus da Sars foi diagnosticado na cidade de Guangzhou, na China, em novembro de 2002. Rapidamente a doença se espalhou por Hong Kong, Vietnã, Cingapura, Canadá e por outros 27 países, provocando 349 mortes, número correspondente a 11% dos infectados. No ano seguinte a epidemia estava controlada. Nenhum caso novo foi identificado depois de 2004.

Em 2012, surgiram os primeiros doentes com Mers na Jordânia e Arábia Saudita, homens que tinham contato com camelos. Viajantes com passagem pelo Oriente Médio levaram o vírus para 32 países, entre os quais França, Alemanha, Itália, Reino Unido, Tunísia, Coreia do Sul e Estados Unidos. A doença apresentava características semelhantes às provocadas pelo vírus da Sars, porém com mortalidade bem mais alta: de 30% a 35%.

Em dezembro de 2019, a Organização Mundial da Saúde (OMS) foi alertada sobre o aparecimento de uma síndrome respiratória aguda grave na cidade de Wuhan, na China. No início de janeiro de 2020, as autoridades chinesas confirmaram que se tratava de um coronavírus ainda desconhecido, batizado como Sars-COV-2.

No dia 30 de janeiro de 2020, a OMS declarou que esse vírus constituía emergência em saúde pública de importância internacional, mas só em março reconheceria que ele se enquadrava no conceito de pandemia.

Até o fim de janeiro, não achei que o Sars-COV-2 seria capaz de se disseminar pelo mundo, provocando quadros graves. Não fui o único a cometer esse erro de avaliação, que mais tarde seria usado contra mim por políticos da extrema direita brasileira. Anthony Fauci, a maior autoridade em moléstias infecciosas dos Estados Unidos, e outros cientistas, infectologistas e epidemiologistas das melhores universidades internacionais também não souberam estimar o potencial daquele vírus que se espalhava pela China, país em que as informações não circulam com liberdade.

Só pudemos entender a gravidade da ameaça em fevereiro de 2020, quando o vírus chegou à Europa e, em particular, quando as UTIs do norte da Itália ficaram lotadas de pacientes com insuficiência respiratória. As imagens de mulheres e homens intubados, dependentes de aparelhos de ventilação mecânica, enquanto outros ficavam à espera de vagas mal acomodados em ambulâncias e nas unidades de pronto atendimento, assustaram médicos como eu e chocaram o mundo.

A realidade dos hospitais italianos se repetiu em maior ou menor grau nos demais países europeus. Semanas depois foi a vez dos Estados Unidos, que estavam tão despreparados para enfrentar uma epidemia daquelas proporções, que os hospitais de Manhattan, a capital financeira do mundo ocidental, não tinham máscaras em número suficiente para proteger seus funcionários. Trabalhando naquele distrito, minha filha, médica, contraiu a infecção logo nas primeiras semanas.

Ter uma filha com uma doença ainda pouco conhecida, num país com aeroportos fechados para brasileiros, numa Nova York sem leitos disponíveis nas UTIs, com caminhões frigoríficos à porta para recolher os corpos, foi uma experiência angustiante. Nos falávamos por telefone quatro, cinco vezes por dia, às vezes mais, única forma de eu me tranquilizar. Felizmente, os sintomas regrediram em poucos dias, com exceção de uma tosse seca que persistiu por várias semanas.

Cerca de 90% das máscaras no mercado mundial eram importadas da China, e quando os chineses precisaram delas a escassez foi tão generalizada que a OMS se viu obrigada a recomendar que a população usasse máscaras de pano e deixasse as cirúrgicas para os profissionais de saúde.

Os primeiros diagnósticos no Brasil foram feitos em fevereiro de 2020, em viajantes que desembarcaram em nossos aeroportos internacionais de voos vindos da Europa e dos Estados Unidos. No dia 12 de março, tivemos o primeiro óbito.

Nesse dia, Regina, minha mulher, estrearia um espetáculo teatral em São Paulo às nove da noite. Aproximadamente às duas da tarde, a estreia foi suspensa, o dinheiro dos ingressos devolvido e o teatro fechado. Medidas de isolamento social entravam em vigor. Como fizeram milhões de brasileiros, ela e eu nos fechamos em casa.

O Brasil não estava preparado para enfrentar uma virose altamente transmissível pelas secreções expelidas ao falar, respirar, tossir ou espirrar. Nos hospitais faltava quase tudo: equipamento de proteção individual, aparelhos de ventilação mecânica, medicamentos, leitos de enfermaria e de UTI, médicos, equipes de enfermagem, de fisioterapia e de outros profissionais necessários para cuidar de pacientes com insuficiência respiratória. As mortes se acumularam rapidamente aqui e em outros países.

Com as medidas de isolamento, a penitenciária feminina de São Paulo afastou os funcionários com mais de sessenta anos e pediu que eu interrompesse as consultas. Como eu havia encerrado o atendimento no consultório particular em dezembro do ano anterior, minha atividade clínica foi suspensa pela primeira vez desde a formatura, em 1967.

No início de 2020, imaginávamos que a disseminação e as mortes por covid aumentariam nos meses seguintes, atingiriam um pico, ao qual se seguiria a queda rápida da transmissão que levaria ao fim da pandemia. Quando ocorreria o pico: maio, junho, agosto? Era a pergunta que mais me faziam nas discussões pela internet.

De fato, nas curvas de mortalidade surgiu algo semelhante a um pico nos meses de junho, julho e agosto. Mas, em lugar da esperada queda, viu-se um platô que manteve a mortalidade em níveis muito elevados. O número de óbitos aumentava sem parar: no dia 8 de agosto, contávamos 100 mil mortes; cinco meses depois, em janeiro de 2021, já eram 200 mil. Apenas três meses mais haviam duplicado: 400 mil. Em fevereiro de 2022, pouco menos de dois anos após o falecimento da primeira vítima, atingimos a marca de 650 mil brasileiros mortos.

Na disseminação, o vírus contou com a ajuda do presidente da República e de seus seguidores fiéis, que fizeram questão de promover aglomerações, combater o uso de máscaras e apregoar a prescrição de medicamentos inúteis contra o vírus, com o pretexto de proteger a economia. Como em epidemias do passado, uma legião de negacionistas se aliou à disseminação do vírus. Em plena pandemia, o Brasil teve quatro ministros da Saúde.

Logo que a epidemia chegou à Itália, achei que o acesso que

eu tinha ao rádio, à televisão e às redes sociais me impunha o dever de falar sobre a transmissão da doença e orientar as pessoas infectadas. Quando percebi, estava passando os dias em frente à tela do computador em lives, reuniões científicas, gravações para o *Fantástico* e entrevistas pelo Brasil afora. Por telemedicina, perdi a conta de quantos pacientes com covid acompanhei. Pela primeira vez na vida, comecei a ter dores nas costas, que só melhoraram quando minha mulher comprou uma cadeira melhor.

Em maio de 2020, recebi um telefonema de Pedro Moreira Salles, acionista do Itaú Unibanco, com um convite para integrar um grupo de sete consultores voluntários, que se encarregariam de distribuir uma doação no valor de 1 bilhão de reais que o banco pretendia destinar ao enfrentamento da pandemia como parte do projeto Todos pela Saúde.

Durante quase um ano, nós nos reunimos todos os dias às sete da manhã (inclusive sábados e domingos) em teleconferência, para avaliar os pedidos de ajuda que vinham do país inteiro. Faltavam equipamentos de proteção individual, aparelhos de ventilação mecânica, leitos de UTI, seringas, agulhas, equipos de soro, medicamentos e equipes de profissionais treinados para o atendimento de pacientes graves.

A harmonia de pensamento entre nós era tanta, que todas as decisões foram tomadas por unanimidade. O banco jamais interferiu, apenas se encarregava de executar o que havíamos decidido. Por conta dele, ficavam a avaliação de preços, a análise da idoneidade das empresas que nos venderiam os materiais e toda a logística para que eles chegassem a seu destino em todas as regiões do Brasil. Carretas e carretas de entrega, aviões cargueiros abarrotados, equipes se deslocando pelo país para ajudar na organização da infraestrutura de hospitais, de outras unidades de saúde e de gabinetes de crise formados nos estados para coordenar as tomadas de decisão. Por razões óbvias, só não enviávamos dinheiro.

Jamais imaginei ser possível fazer tanto com 1 bilhão de reais quando há competência e honestidade.

Parte de um governo negacionista, o Ministério da Saúde comandado por um general completamente despreparado para a função não moveu uma palha para esclarecer a população (política seguida pelo médico que o substituiu no cargo). Pelo contrário, o presidente e seus subalternos faziam questão de exibir o rosto sem máscara no meio das aglomerações. A primeira propaganda exibida nas TVs e nas rádios para reforçar a necessidade de usar equipamento de proteção foi apresentada por mim, em nome do Todos pela Saúde, em junho de 2020. Só depois de meses alguns governos estaduais iniciaram tímidas campanhas públicas. O governo federal se manteve em silêncio, como se a pandemia não existisse. Não fossem os jornalistas e os médicos e cientistas entrevistados por eles para orientar a população, a tragédia brasileira teria sido ainda mais dramática.

Como parte de uma política absurda, o governo federal ignorou todas as ofertas de vacinas que o laboratório Pfizer insistiu em fazer. O Ministério da Saúde só assumiu um sentido de urgência em vacinar os brasileiros — e por conveniência política e não por espírito público — quando o governador de São Paulo iniciou a imunização no estado com a Coronavac, produzida pelo Instituto Butantan em parceria com uma empresa chinesa. Desde então, o próprio presidente da República se empenha em lançar dúvidas descabidas sobre a eficácia e a segurança das vacinas. Tais desmandos explicam por que, mesmo sendo o Brasil o quinto país em número de habitantes, ele seja o segundo em número absoluto de mortes por covid, atrás apenas dos Estados Unidos, país com uma população 60% maior do que a nossa.

Em janeiro de 2021, num dos momentos mais trágicos da epidemia brasileira, faltou oxigênio na cidade de Manaus, episódio que, nesse primeiro momento, ceifou pelo menos sessenta vidas, criou o caos nas portas dos hospitais e Unidades Básicas de Saúde, fez famílias correrem atrás de torpedos de oxigênio industrial, provocou enterros em valas comuns e obrigou a transferência de cerca de quinhentos pacientes para outros estados, muitos dos quais não sobreviveram.

Entre outras ações, o Todos pela Saúde financiou centrais de produção de oxigênio, comprou ambulâncias para transportar doentes pelos rios amazônicos, além de distribuir toneladas de equipamentos, aparelhos, medicamentos e recursos materiais para vários municípios dos estados do Norte, a região mais desassistida do Brasil.

No fim de 2021, quando a pandemia dava a impressão de perder o ímpeto, cientistas da África do Sul descreveram uma nova variante do coronavírus que em poucas semanas deslocou a variante delta, a qual, por sua vez, havia deslocado as anteriores. Muito mais contagiosa do que as precedentes devido ao acúmulo de cerca de cinquenta novas mutações, a ômicron se espalhou rapidamente pelo mundo. Em poucos meses, já era a responsável por cerca de 90% das novas infecções.

No Brasil, a velocidade de transmissão provocou um número recorde de infecções em janeiro e fevereiro de 2022, embora o número de mortes diárias fosse proporcionalmente mais baixo do que o das ondas provocadas pelas cepas anteriores. A menor gravidade da doença causada pela ômicron em pessoas imunizadas impediu que os leitos hospitalares e as UTIs entrassem em colapso.

O que acontecerá daqui em diante?

Ninguém sabe, mas existem duas possibilidades. A primeira é que a vacinação e as infecções por uma cepa menos agressiva sejam suficientes para controlar a onda epidêmica causada pela ômicron, e a epidemia seja controlada. A hipótese mais pessimista leva em consideração o fato de que grande parte da população mundial ainda não foi vacinada. Enquanto existirem esses bolsões de pessoas suscetíveis, poderão surgir outras cepas mutantes capazes de provocar novas ondas pandêmicas. Serão ainda mais contagiosas? Mais agressivas? Impossível saber. Como nos ensinaram Alfred Wallace e Charles Darwin, a evolução é imprevisível.

No início de 2022, comecei a sair de casa para trabalhar. Voltei a gravar nas ruas e a viajar pelo Brasil para participar das matérias do *Fantástico*, sem deixar as entrevistas, as palestras, as lives e os vídeos para a internet e o atendimento na cadeia, agora no Centro de Detenção Provisória do Belém, na zona leste de São Paulo, cadeia com mais de mil homens e nenhum médico.

Tomo o maior cuidado, fujo das aglomerações como o diabo da cruz, não entro sem máscara em lugares fechados, antes de examinar a garganta de um paciente coloco o *faceshield* e perco a conta de quantas vezes lavo as mãos todos os dias. Não quero morrer de jeito nenhum, mas também não posso ficar parado. Tenho 78 anos e muito por fazer.

São Paulo, março de 2022

ESTA OBRA FOI COMPOSTA EM MINION PELO ESTÚDIO O.L.M. / FLAVIO PERALTA
E IMPRESSA EM OFSETE PELA LIS GRÁFICA SOBRE PAPEL PÓLEN SOFT
DA SUZANO S.A. PARA A EDITORA SCHWARCZ EM MAIO DE 2022

A marca FSC® é a garantia de que a madeira utilizada na fabricação do papel deste livro provém de florestas que foram gerenciadas de maneira ambientalmente correta, socialmente justa e economicamente viável, além de outras fontes de origem controlada.